교과
연산

B 1

초2 받아올림이 있는
두 자리 수의 계산

변화를 정확히 이해해야 합니다.

수학의 기본이면서 이제는 필수가 된 연산 학습, 그런데 왜 우리 아이들은 많은 학습지를 풀고도 학교에 가면
연산 문제를 해결하지 못할까요?
지금 우리 아이들이 학습하는 교과서는 과거와는 많이 다릅니다. 단순 계산력을 확인하는 문제 대신 다양한
상황을 제시하고 상황에 맞게 문제를 해결하는 과정을 평가합니다. 그래서 단순히 계산하여 답을 내는 것보다
문장을 이해하고 상황을 판단하여 스스로 식을 세우고 문제를 해결하는 복합적인 사고 과정이 필요합니다.
그림을 보고 상황을 판단하는 능력, 그림을 보고 상황을 말로 표현하는 능력, 문장을 이해하는 능력 등 상황
판단 능력을 길러야 하는 이유입니다.

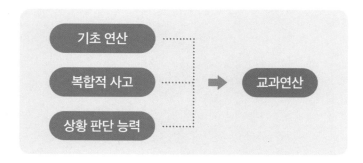

연산 원리를 학습함에 있어서도 대표적인 하나의 풀이 방법을 공식처럼 외우기만 해서는 지금의 연산 문제
를 해결하기 어렵습니다. 연산 학습과 함께 다양한 방법으로 수를 분해하고 결합하는 과정, 즉 수 자체에 대한
학습도 병행되어야 합니다.
교과연산은 연산 학습과 함께 수 자체를 온전히 학습할 수 있도록 단계마다 '수특강'을 구성하고 있습니다.
계산은 문제를 해결하는 하나의 과정으로서의 의미가 큽니다.

학교에서 배우게 될 내용과 직접적으로 관련이 있는 교과연산으로 가장 먼저 시작하기를 추천드립니다.
요즘 연산은 교과 연산입니다.

"계산은 그 자체가 목적이 아닙니다. 문제를 해결하는 하나의 과정입니다."

하루 한 장, 75일에 완성하는 교과연산

한 단계는 총 4권으로 수를 학습하는 0권과 연산을 학습하는 1권, 2권, 3권으로 구성되어 있습니다.

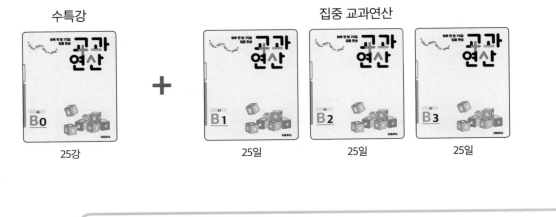

수특강

수 영역은 연산과 뗄래야 뗄 수 없습니다. 수 영역을 제대로 학습하지 않고 연산만 한다면 연산 원리를 이해하는 데 부족함이 있습니다.
교과연산은 연산 학습을 하면서 반드시 필요한 수 영역을 수특강으로 해결합니다.

교과연산

기초 연산도 합니다. 연산 원리를 이해하고 계산 연습도 합니다. 그에 더해서 교과연산은 다양한 상황 문제를 제시하여 상황에 맞는 식을 세우고 문제를 해결하는 상황 판단 능력을 길러줍니다.

"연산을 이해하기 위해서는 수를 먼저 이해해야 합니다."

원리는 기본, 복합적 사고 문제까지 다루는 교과연산

원리
수와 연산의 원리를
이해하고 연습합니다.

복합적 사고
연산 원리를 이용하여
다양한 소재의 복합적
문제를 해결합니다.

상황 판단 문제
문장 이해력을 기르고
상황에 맞는 식을 세워
문제를 해결합니다.

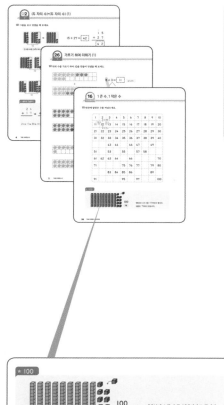

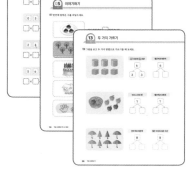

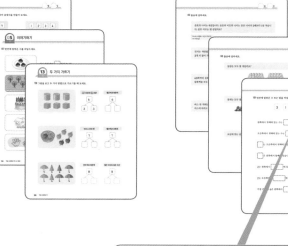

[체크 박스]
문제를 해결하는 데 도움이
되는 방향을 제시합니다.

[개념 포인트]
꼭 필요한 기본 개념을
설명합니다.

"교과연산은 꼬이고 꼬인 어려운 연산이 아닙니다.

일상 생활 속에서 상황을 판단하는 능력을 길러주는 연산입니다."

하루 **한** 장, 75일 집중 완성 교과연산 **묻고 답하기** Q & A

Q1 왜 교과연산인가요?

지금의 교과서는 과거의 교과서와는 많이 다릅니다. 하지만 아쉽게도 기존의 연산학습지는 과거의 연산 학습 방법을 그대로 답습하고 변화를 제대로 반영하지 못하고 있습니다. 교과연산은 교과서의 변화를 정확히 이해하고 체계적으로 학습을 할 수 있도록 안내합니다.

Q2 다른 연산 교재와 어떻게 다른가요?

교과연산은 변화된 교과서의 핵심 내용인 상황 판단 능력과 복합적 사고력을 길러주는 최신 연산 프로그램입니다. 또한 연산 학습의 바탕이 되는 '수'를 수특강으로 다루고 있어 수학의 기본이 되는 연산학습을 체계적으로 학습할 수 있습니다.

Q3 학교 진도와는 맞나요?

네, 교과연산은 학교 수업 진도와 최신 개정된 교과 단원에 맞추어 개발하였습니다.

Q4 단계 선택은 어떻게 해야 할까요?

권장 연령의 학습을 추천합니다.
다만, 처음 교과 연산을 시작하는 학생이라면 한 단계 낮추어 시작하는 것도 좋습니다.

Q5 '수특강'을 먼저 해야 하나요?

'수특강'을 가장 먼저 학습하는 것을 권장합니다. P단계를 예로 들어보면 P0(수특강)을 먼저 학습한 후 차례대로 P1~P3 학습을 진행합니다. '수특강'은 각 단계의 연산 원리와 개념을 정확하게 이해하고 상황 문제를 해결하는 데 디딤돌이 되어줄 것입니다.

이 책의 차례

1주차 받아올림 덧셈 (1)

🔖 그림을 보고 덧셈을 해 보세요.

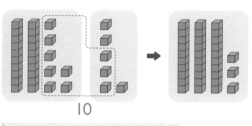

일 모형 10개를 십 모형 1개로 바꿉니다.

$$27 + 6 = \boxed{33}$$

$$\begin{array}{r} \overset{1}{}2\;7 \\ +6 \\ \hline \boxed{3\;\;3} \end{array}$$

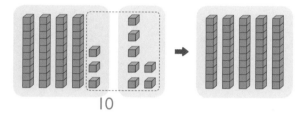

$$43 + 7 = \boxed{}$$

$$\begin{array}{r} 4\;3 \\ +7 \\ \hline \end{array}$$

$$9 + 32 = \boxed{}$$

$$\begin{array}{r} 9 \\ +\;3\;2 \\ \hline \end{array}$$

★ 세로로 덧셈하기

$$\begin{array}{r} 2\;8 \\ +6 \\ \hline \end{array} \rightarrow \begin{array}{r} \overset{1}{}2\;8 \\ +6 \\ \hline 4 \end{array}$$

8+6=14에서 10은 십의 자리로 받아올림하여 십의 자리 위에 작게 1로 나타내고 남은 4는 일의 자리에 내려 씁니다.

$$\rightarrow \begin{array}{r} \overset{1}{}2\;8 \\ +6 \\ \hline 3\;4 \end{array}$$

받아올림한 1과 십의 자리 수 2를 더하여 십의 자리에 3을 내려 씁니다.

28 + 6 = 20 + 10 + 4 = 34

📖 계산해 보세요.

$$\begin{array}{r} 2\ 7 \\ +\quad 4 \\ \hline \end{array}$$

$$\begin{array}{r} 4\ 8 \\ +\quad 5 \\ \hline \end{array}$$

$$\begin{array}{r} 5\ 9 \\ +\quad 1 \\ \hline \end{array}$$

$$\begin{array}{r} 7\ 5 \\ +\quad 9 \\ \hline \end{array}$$

$$\begin{array}{r} 5 \\ +\ 3\ 7 \\ \hline \end{array}$$

$$\begin{array}{r} 7 \\ +\ 2\ 8 \\ \hline \end{array}$$

$$\begin{array}{r} 6 \\ +\ 4\ 6 \\ \hline \end{array}$$

$$\begin{array}{r} 9 \\ +\ 8\ 2 \\ \hline \end{array}$$

$14 + 9$ $42 + 8$

$59 + 7$ $38 + 9$

$5 + 35$ $4 + 48$

$6 + 57$ $9 + 76$

(두 자리 수)+(두 자리 수) (1)

🔲 그림을 보고 덧셈을 해 보세요.

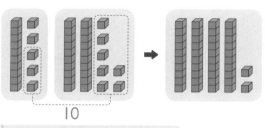

일 모형 10개를 십 모형 1개로 바꿉니다.

$$15 + 27 = \boxed{42}$$

$$\begin{array}{r} \overset{1}{} \\ 1\ 5 \\ +\ 2\ 7 \\ \hline \boxed{4\ 2} \end{array}$$

$$39 + 16 = \boxed{}$$

$$\begin{array}{r} 3\ 9 \\ +\ 1\ 6 \\ \hline \boxed{} \end{array}$$

$$24 + 38 = \boxed{}$$

$$\begin{array}{r} 2\ 4 \\ +\ 3\ 8 \\ \hline \boxed{} \end{array}$$

★ 세로로 덧셈하기

$$\begin{array}{r} 2\ 4 \\ +\ 1\ 7 \\ \hline \end{array} \Rightarrow \begin{array}{r} \overset{1}{} \\ 2\ 4 \\ +\ 1\ 7 \\ \hline 1 \end{array}$$

4+7=11에서 10은 십의 자리로 받아올림하여 십의 자리 위에 작게 1로 나타내고 남은 1은 일의 자리에 내려 씁니다.

$$\Rightarrow \begin{array}{r} \overset{1}{} \\ 2\ 4 \\ +\ 1\ 7 \\ \hline 4\ 1 \end{array}$$

받아올림한 1과 십의 자리 수 2, 1을 더하여 십의 자리에 4를 내려 씁니다.

$$24 + 17 = 20 + 10 + 10 + 1 = 41$$

📖 계산해 보세요.

$$\begin{array}{r} 1\ 8 \\ +\ 2\ 4 \\ \hline \end{array}$$

$$\begin{array}{r} 4\ 7 \\ +\ 2\ 6 \\ \hline \end{array}$$

$$\begin{array}{r} 1\ 9 \\ +\ 5\ 5 \\ \hline \end{array}$$

$$\begin{array}{r} 4\ 2 \\ +\ 3\ 9 \\ \hline \end{array}$$

$$\begin{array}{r} 5\ 6 \\ +\ 2\ 4 \\ \hline \end{array}$$

$$\begin{array}{r} 3\ 8 \\ +\ 2\ 7 \\ \hline \end{array}$$

$$\begin{array}{r} 3\ 6 \\ +\ 1\ 8 \\ \hline \end{array}$$

$$\begin{array}{r} 5\ 7 \\ +\ 3\ 7 \\ \hline \end{array}$$

$36 + 15$ $18 + 25$

$45 + 19$ $38 + 22$

$24 + 46$ $39 + 39$

$35 + 48$ $74 + 17$

■ 두 수의 합을 구해 보세요.

| 35 | 6 |

(   )

| 28 | 8 |

(   )

| 9 | 36 |

(   )

| 5 | 67 |

(   )

| 34 | 17 |

(   )

| 19 | 45 |

(   )

| 37 | 35 |

(   )

| 29 | 58 |

(   )

■ 같은 모양에 적힌 두 수의 합을 구해 보세요.

두 원에 적힌 두 수를 더합니다.

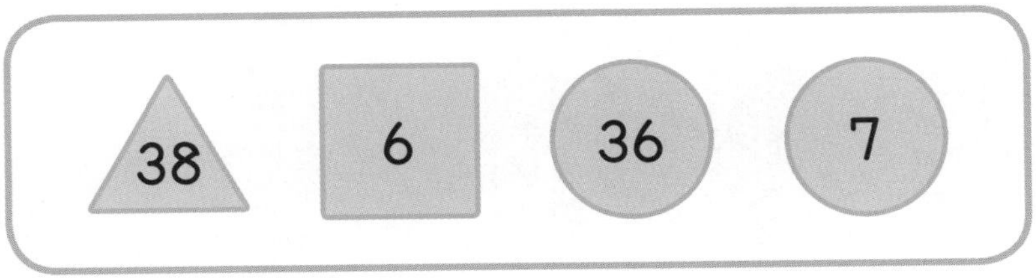

△ 38   □ 6   ○ 36   ○ 7

( )

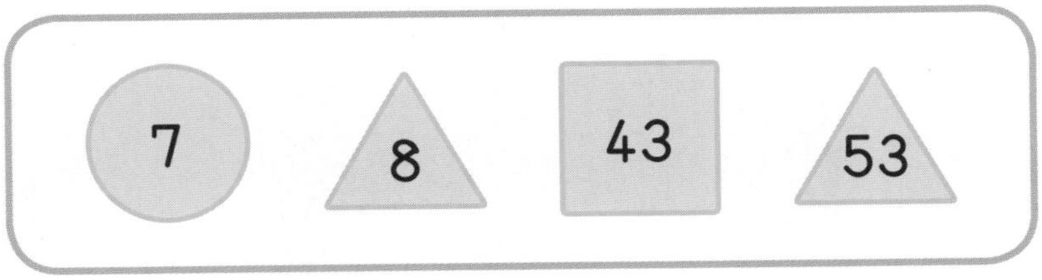

○ 7   △ 8   □ 43   △ 53

( )

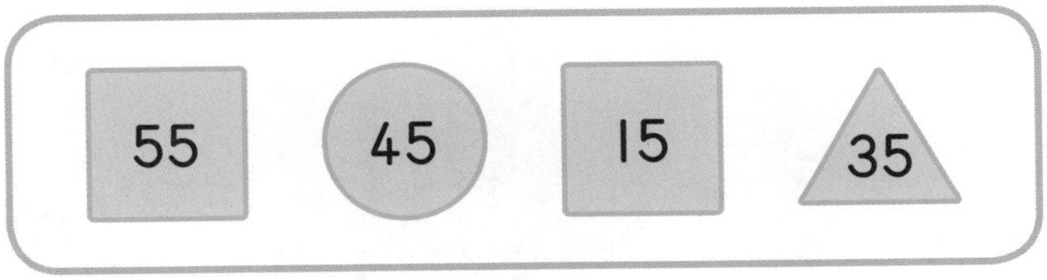

□ 55   ○ 45   □ 15   △ 35

( )

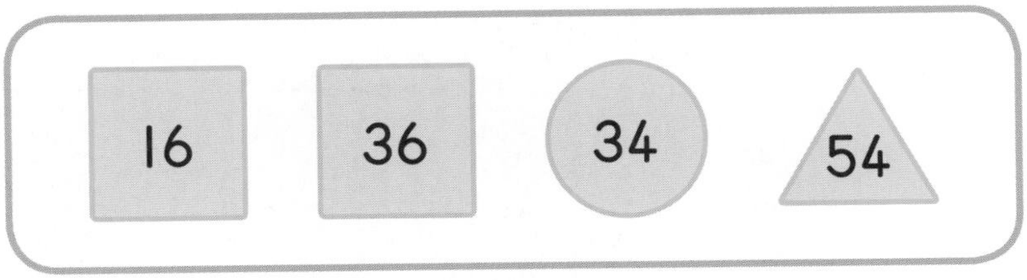

□ 16   □ 36   ○ 34   △ 54

( )

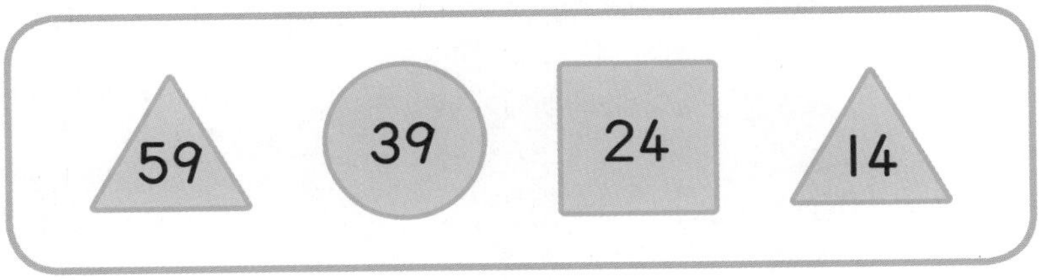

△ 59   ○ 39   □ 24   △ 14

( )

■ 그림을 보고 덧셈을 해 보세요.

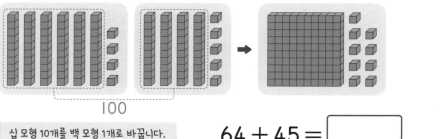

$64 + 45 =$ ☐

$$\begin{array}{r} \scriptstyle 1 \\ 6\ 4 \\ +\ 4\ 5 \\ \hline \end{array}$$

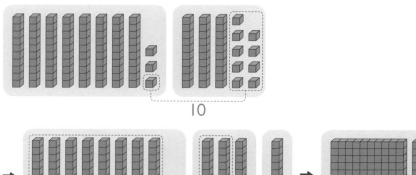

$83 + 39 =$ ☐

$$\begin{array}{r} \scriptstyle 1\ \ 1 \\ 8\ 3 \\ +\ 3\ 9 \\ \hline \end{array}$$

★ 세로로 덧셈하기

$$\begin{array}{r} 7\ 5 \\ +\ 4\ 8 \\ \hline \end{array} \rightarrow \begin{array}{r} \scriptstyle 1\ \ 1 \\ 7\ 5 \\ +\ 4\ 8 \\ \hline 2\ 3 \end{array}$$

일의 자리에서 받아올림한 l과
십의 자리 수 7, 4를 더한 l2에서
l0은 백의 자리로 받아올림하여
백의 자리 위에 작게 l로 나타내고
남은 2는 십의 자리에 내려 씁니다.

$$\begin{array}{r} \scriptstyle 1\ \ 1 \\ 7\ 5 \\ +\ 4\ 8 \\ \hline 1\ 2\ 3 \end{array}$$

받아올림한 l은 백의
자리에 내려 씁니다.

$75 + 48 = 70 + 40 + 10 + 3 = 100 + 20 + 3 = 123$

📘 계산해 보세요.

$$\begin{array}{r} 8\ 3 \\ +\ 3\ 4 \\ \hline \end{array}$$

$$\begin{array}{r} 6\ 3 \\ +\ 7\ 2 \\ \hline \end{array}$$

$$\begin{array}{r} 7\ 1 \\ +\ 8\ 0 \\ \hline \end{array}$$

$$\begin{array}{r} 3\ 5 \\ +\ 9\ 3 \\ \hline \end{array}$$

$$\begin{array}{r} 5\ 3 \\ +\ 6\ 7 \\ \hline \end{array}$$

$$\begin{array}{r} 8\ 5 \\ +\ 2\ 7 \\ \hline \end{array}$$

$$\begin{array}{r} 8\ 7 \\ +\ 5\ 8 \\ \hline \end{array}$$

$$\begin{array}{r} 9\ 8 \\ +\ 4\ 5 \\ \hline \end{array}$$

$54 + 64$

$83 + 23$

$56 + 72$

$87 + 46$

$95 + 29$

$21 + 79$

$82 + 28$

$69 + 62$

■ 물음에 답하세요.

연지는 동화책을 어제는 **35**쪽, 오늘은 **7**쪽 읽었습니다. 연지가 어제와 오늘 읽은 동화책은 모두 몇 쪽일까요?

식 _____ $35 + 7 = 42$ _____   답 _____ 42 _____ 쪽

호운이의 나이는 **9**살이고 호운이의 삼촌의 나이는 호운이보다 **28**살 더 많습니다. 호운이의 삼촌의 나이는 몇 살일까요?

식 _____   답 _____ 살

준우는 도토리를 **44**개 주웠고 한솔이는 **36**개 주웠습니다. 두 사람이 주운 도토리는 모두 몇 개일까요?

식 _____   답 _____ 개

농장에 닭이 **25**마리, 오리가 **29**마리 있습니다. 농장에 있는 닭과 오리는 모두 몇 마리일까요?

식 _____   답 _____ 마리

■ 물음에 답하세요.

화단에 꽃이 **63**송이 있는데 **50**송이를 더 심었습니다. 화단에 있는 꽃은 모두 몇 송이일까요?

식 _____ 답 _____ 송이

지한이는 아침에 줄넘기를 **56**번 넘었고 저녁에 **72**번 넘었습니다. 지한이는 줄넘기를 모두 몇 번 넘었을까요?

식 _____ 답 _____ 번

다은이네 집에 귤이 **85**개 있었는데 어머니께서 귤 **45**개를 더 사오셨습니다. 다은이네 집에 있는 귤은 모두 몇 개일까요?

식 _____ 답 _____ 개

시은이는 사과를 **68**개 땄고 지우는 **54**개 땄습니다. 두 사람이 딴 사과는 모두 몇 개일까요?

식 _____ 답 _____ 개

선으로 연결된 두 수의 합을 아래쪽 빈칸에 써넣으세요.

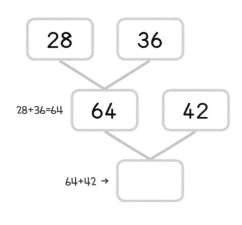

28   36

28+36=64   64   42

64+42 →

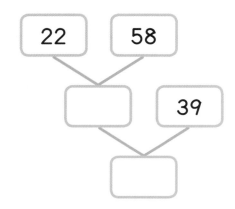

22   58

39

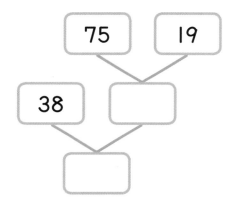

75   19

38

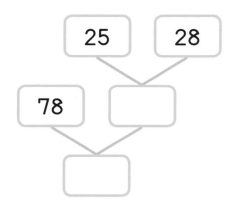

25   28

78

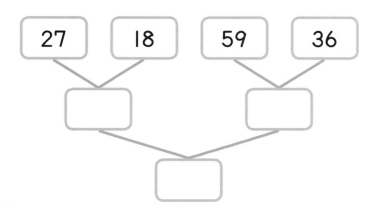

27   18   59   36

📗 그림을 보고 뺄셈을 해 보세요.

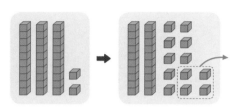

십 모형 1개를 일 모형 10개로 바꿉니다.

$$32 - 4 = \boxed{28}$$

$$
\begin{array}{r}
\overset{2}{\cancel{3}}\,\overset{10}{2} \\
-\quad 4 \\
\hline
\boxed{2\ \ 8}
\end{array}
$$

$$27 - 8 = \boxed{}$$

$$
\begin{array}{r}
2\ \ 7 \\
-\quad 8 \\
\hline
\boxed{}
\end{array}
$$

$$40 - 7 = \boxed{}$$

$$
\begin{array}{r}
4\ \ 0 \\
-\quad 7 \\
\hline
\boxed{}
\end{array}
$$

★ 세로로 뺄셈하기

$$
\begin{array}{r}
2\ \ 3 \\
-\quad 7 \\
\hline
\end{array}
$$
➡
$$
\begin{array}{c|c}
1 & 10 \\
\cancel{2} & 3 \\
- & 7 \\
\hline
 & 6
\end{array}
$$
3−7을 할 수 없으므로 십의 자리 수 2를 지우고 그 위에 1을 작게 쓴 다음 일의 자리 위에 작게 10을 쓰고 13−7=6에서 6을 일의 자리에 내려씁니다.
➡
$$
\begin{array}{c|c}
1 & 10 \\
\cancel{2} & 3 \\
- & 7 \\
\hline
1 & 6
\end{array}
$$
십의 자리에 남아 있는 1을 십의 자리에 내려 씁니다.

$$23 - 7 = 10 + 13 - 7 = 10 + 6 = 16$$

🔖 계산해 보세요.

$$\begin{array}{r} 3\ 7 \\ -\quad 9 \\ \hline \end{array}$$

$$\begin{array}{r} 2\ 4 \\ -\quad 5 \\ \hline \end{array}$$

$$\begin{array}{r} 4\ 6 \\ -\quad 8 \\ \hline \end{array}$$

$$\begin{array}{r} 3\ 2 \\ -\quad 6 \\ \hline \end{array}$$

$$\begin{array}{r} 5\ 1 \\ -\quad 2 \\ \hline \end{array}$$

$$\begin{array}{r} 4\ 3 \\ -\quad 7 \\ \hline \end{array}$$

$$\begin{array}{r} 6\ 2 \\ -\quad 8 \\ \hline \end{array}$$

$$\begin{array}{r} 9\ 0 \\ -\quad 7 \\ \hline \end{array}$$

$43 - 5$

$25 - 9$

$22 - 7$

$70 - 9$

$58 - 9$

$34 - 8$

$61 - 4$

$83 - 6$

(두 자리 수)-(두 자리 수) (1)

🔲 그림을 보고 뺄셈을 해 보세요.

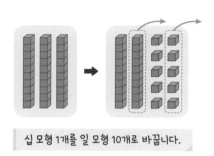

십 모형 1개를 일 모형 10개로 바꿉니다.

$$30 - 15 = \boxed{15}$$

$$\begin{array}{r} \overset{2}{\cancel{3}}\overset{10}{0} \\ -\ 1\ 5 \\ \hline \boxed{1\ 5} \end{array}$$

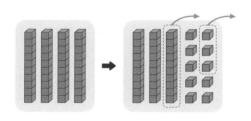

$$40 - 13 = \boxed{}$$

$$\begin{array}{r} 4\ 0 \\ -\ 1\ 3 \\ \hline \boxed{} \end{array}$$

$$50 - 46 = \boxed{}$$

$$\begin{array}{r} 5\ 0 \\ -\ 4\ 6 \\ \hline \boxed{} \end{array}$$

★ 세로로 뺄셈하기

$$\begin{array}{r} 4\ 0 \\ -\ 2\ 3 \\ \hline \end{array}$$ ➡ $$\begin{array}{r} \overset{3}{\cancel{4}}\overset{10}{0} \\ -\ 2\ 3 \\ \hline 7 \end{array}$$

0-3을 할 수 없으므로 십의 자리 수 4를 지우고 그 위에 3을 작게 쓴 다음 일의 자리 위에 작게 10을 쓰고 10-3=7에서 7을 일의 자리에 내려씁니다.

➡ $$\begin{array}{r} \overset{3}{\cancel{4}}\overset{10}{0} \\ -\ 2\ 3 \\ \hline 1\ 7 \end{array}$$

십의 자리에 남아 있는 3에서 2를 뺀 값을 십의 자리에 내려 씁니다.

$$40 - 23 = 30 + 10 - 20 - 3 = 17$$

■ 계산해 보세요.

```
   3 0          5 0          7 0          4 0
 - 1 2        - 2 6        - 3 3        - 1 5
```

```
   8 0          9 0          6 0          3 0
 - 2 7        - 6 4        - 1 9        - 2 8
```

50 − 35   40 − 22

60 − 59   70 − 47

80 − 21   60 − 26

90 − 43   70 − 18

08 (두 자리 수)-(두 자리 수) (2)

일

🔖 그림을 보고 뺄셈을 해 보세요.

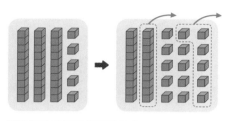

십 모형 1개를 일 모형 10개로 바꿉니다.

$35 - 16 = \boxed{19}$

$$\begin{array}{r} {\scriptstyle 2}{\scriptstyle 10} \\ \not{3}\ 5 \\ -\ 1\ 6 \\ \hline \boxed{1\ 9} \end{array}$$

$42 - 27 = \boxed{}$

$$\begin{array}{r} 4\ 2 \\ -\ 2\ 7 \\ \hline \boxed{} \end{array}$$

$33 - 25 = \boxed{}$

$$\begin{array}{r} 3\ 3 \\ -\ 2\ 5 \\ \hline \boxed{} \end{array}$$

★ 세로로 뺄셈하기

$$\begin{array}{r} 5\ 2 \\ -\ 1\ 7 \\ \hline \end{array} \Rightarrow \begin{array}{r} {\scriptstyle 4}{\scriptstyle 10} \\ \not{5}\ 2 \\ -\ 1\ 7 \\ \hline 5 \end{array}$$

2-7을 할 수 없으므로 십의 자리 수 5를 지우고 그 위에 4를 작게 쓴 다음 일의 자리 위에 작게 10을 쓰고 12-7=5에서 5를 일의 자리에 내려씁니다.

$$\Rightarrow \begin{array}{r} {\scriptstyle 4}{\scriptstyle 10} \\ \not{5}\ 2 \\ -\ 1\ 7 \\ \hline 3\ 5 \end{array}$$

십의 자리에 남아 있는 4에서 1을 뺀 값을 십의 자리에 내려 씁니다.

$52 - 17 = 40 + 12 - 10 - 7 = 35$

📘 계산해 보세요.

$$
\begin{array}{r}
4\ 3 \\
-\ 1\ 6 \\
\hline
\end{array}
\qquad
\begin{array}{r}
5\ 2 \\
-\ 2\ 4 \\
\hline
\end{array}
\qquad
\begin{array}{r}
7\ 4 \\
-\ 3\ 6 \\
\hline
\end{array}
\qquad
\begin{array}{r}
9\ 5 \\
-\ 4\ 6 \\
\hline
\end{array}
$$

$$
\begin{array}{r}
8\ 1 \\
-\ 6\ 5 \\
\hline
\end{array}
\qquad
\begin{array}{r}
9\ 2 \\
-\ 3\ 4 \\
\hline
\end{array}
\qquad
\begin{array}{r}
5\ 3 \\
-\ 4\ 7 \\
\hline
\end{array}
\qquad
\begin{array}{r}
7\ 6 \\
-\ 1\ 9 \\
\hline
\end{array}
$$

$35 - 16$ $\qquad\qquad$ $51 - 28$

$46 - 38$ $\qquad\qquad$ $73 - 47$

$62 - 25$ $\qquad\qquad$ $84 - 39$

$91 - 19$ $\qquad\qquad$ $63 - 24$

두 수의 차를 구해 보세요.

| 23 | 5 |

(   )

차는 큰 수에서 작은 수를 빼야 합니다.

| 45 | 8 |

(   )

| 50 | 16 |

(   )

| 28 | 70 |

(   )

| 51 | 24 |

(   )

| 16 | 74 |

(   )

| 83 | 45 |

(   )

| 26 | 95 |

(   )

같은 모양에 적힌 두 수의 차를 구해 보세요.

두 원에 적힌 두 수의 차를 구합니다.

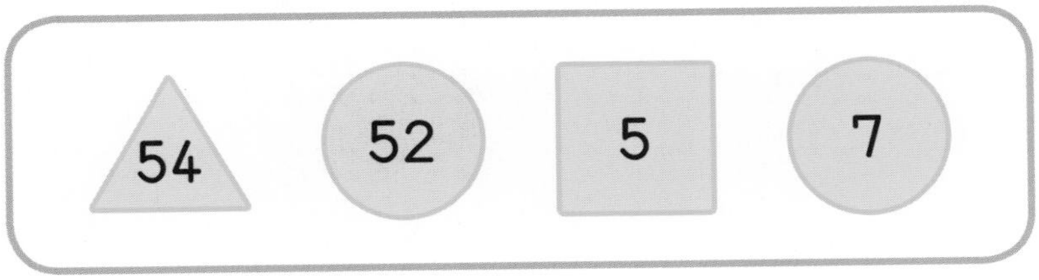

54   52   5   7

(   )

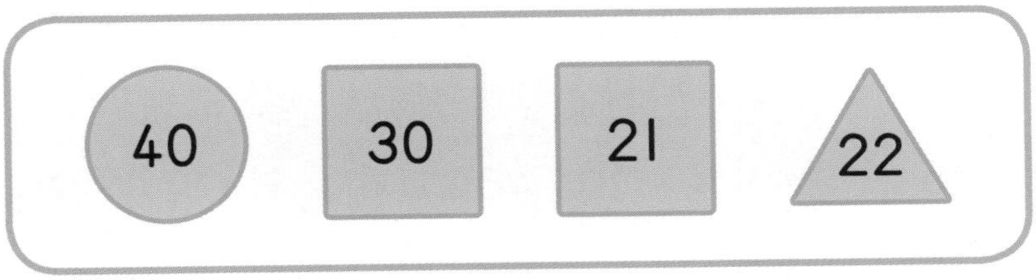

40   30   21   22

(   )

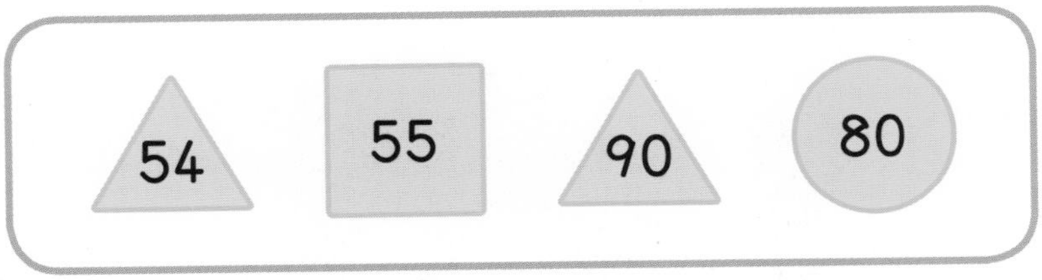

54   55   90   80

(   )

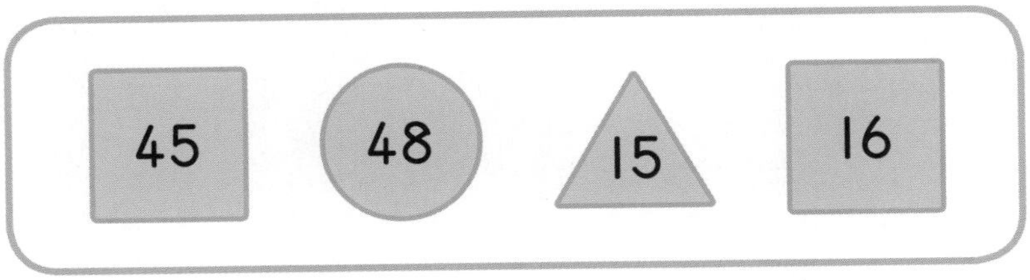

45   48   15   16

(   )

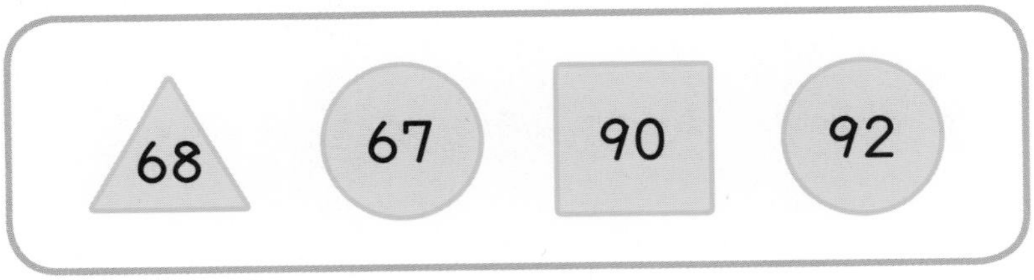

68   67   90   92

(   )

물음에 답하세요.

교실에 학생이 32명 있었는데 6명이 교실 밖으로 나갔습니다. 교실에 남아 있는 학생은 몇 명일까요?

식 $32 - 6 = 26$ 답 26 명

지우의 어머니의 나이는 35살, 아버지의 나이는 40살입니다. 지우의 아버지는 어머니보다 몇 살 더 많을까요?

식 _____   답 _____ 살

운동장에 학생이 43명 있는데 그중에서 14명은 모자를 썼습니다. 모자를 쓰지 않은 학생은 몇 명일까요?

식 _____   답 _____ 명

산이는 색종이를 82장 모았고 하늘이는 55장 모았습니다. 산이는 하늘이보다 색종이를 몇 장 더 모았을까요?

식 _____   답 _____ 장

📖 물음에 답하세요.

공원에 참새가 50마리, 비둘기가 29마리 있습니다. 참새와 비둘기 중 어느 것이 몇 마리 더 많을까요?

_____가 _____마리 더 많습니다.

승호는 사탕을 18개 가지고 있고 지아는 40개 가지고 있습니다. 누가 사탕을 몇 개 더 많이 가지고 있을까요?

_____가 사탕을 _____개 더 많이 가지고 있습니다.

선아는 종이학을 25개 접었고 현수는 72개 접었습니다. 누가 종이학을 몇 개 더 많이 접었을까요?

_____가 종이학을 _____개 더 많이 접었습니다.

규성이는 사과를 64개 땄고 성훈이는 59개 땄습니다. 누가 사과를 몇 개 더 많이 땄을까요?

_____이가 사과를 _____개 더 많이 땄습니다.

선으로 연결된 두 수의 차를 아래쪽 빈칸에 써넣으세요.

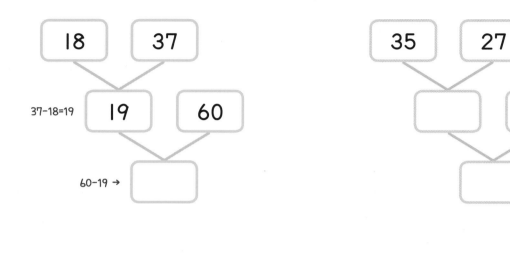

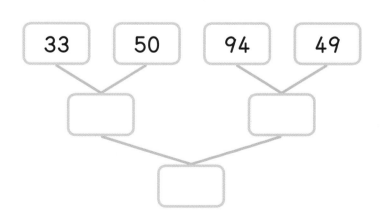

■ 두 수의 합이 가운데 ◯ 안의 수가 되도록 두 수를 찾아 각각 ◯표 하세요.

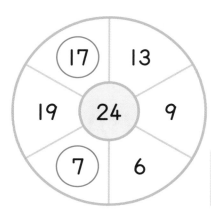

일의 자리 수끼리의
합이 14가 되는
두 수를 찾습니다.

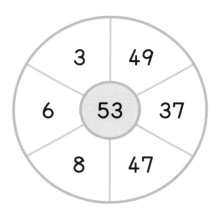

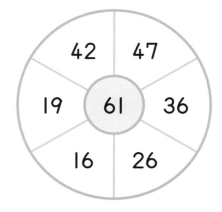

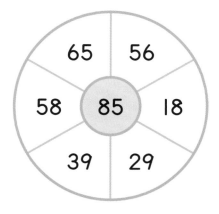

■ 수 카드 중에서 2장씩 골라 써넣어 식을 완성해 보세요.

| 6 | 34 | 7 | 35 |

$$\boxed{} + \boxed{} = 42$$

일의 자리 수끼리의 합이 12가 되는 두 수를 찾습니다.

| 47 | 48 | 8 | 9 |

$$\boxed{} + \boxed{} = 55$$

| 13 | 14 | 28 | 29 |

$$\boxed{} + \boxed{} = 41$$

| 27 | 28 | 35 | 36 |

$$\boxed{} + \boxed{} = 64$$

| 52 | 53 |
| 7 | 8 | 9 |

$$\boxed{} + \boxed{} = 60$$

$$\boxed{} + \boxed{} = 60$$

| 18 | 19 |
| 43 | 44 | 45 |

$$\boxed{} + \boxed{} = 63$$

$$\boxed{} + \boxed{} = 63$$

식 완성하기

📋 빈칸에 들어갈 수를 찾아 ◯표 하세요.

$$25 + \boxed{} = 32$$

| 5 | 6 | ⑦ | 8 |

일의 자리 수끼리의 합이 12가 되는 두 수를 찾습니다.

$$69 + \boxed{} = 72$$

| 3 | 4 | 5 | 6 |

$$36 + \boxed{} = 50$$

| 13 | 14 | 15 | 16 |

$$43 + \boxed{} = 72$$

| 26 | 27 | 28 | 29 |

$$19 + \boxed{} = 43$$

| 22 | 23 | 24 | 25 |

$$27 + \boxed{} = 64$$

| 35 | 36 | 37 | 38 |

$$55 + \boxed{} = 71$$

| 16 | 17 | 18 | 19 |

$$37 + \boxed{} = 82$$

| 44 | 45 | 46 | 47 |

■ 빈칸에 들어갈 수를 찾아 모두 ◯표 하세요.

$55 + \boxed{} < 63$

| 5 | 6 | 7 | 8 | 9 |

55+8=63이므로 8보다 작은 수를 찾습니다.

$38 + \boxed{} > 52$

| 12 | 13 | 14 | 15 | 16 |

38+14=52이므로 14보다 큰 수를 찾습니다.

$36 + \boxed{} < 60$

| 22 | 23 | 24 | 25 | 26 |

$47 + \boxed{} > 81$

| 33 | 34 | 35 | 36 | 37 |

$68 + \boxed{} < 86$

| 15 | 16 | 17 | 18 | 19 |

□가 있는 덧셈

🔹 수 카드 중에서 1장 또는 2장을 골라 써넣어 식을 완성해 보세요.

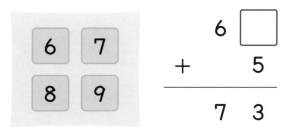

```
    6 □
  +   5
  ─────
    7 3
```

□+5=13이므로 □는 8입니다.

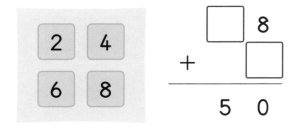

```
    □ 8
  +   □
  ─────
    5 0
```

수를 넣은 다음 식이 맞는지 확인합니다.

| 5 | 6 |
| 7 | 8 |

```
    □ 5
  + 1 9
  ─────
    7 4
```

| 3 | 4 |
| 5 | 6 |

```
    3 9
  + 2 □
  ─────
    6 5
```

| 2 | 3 |
| 6 | 7 |

```
    □ 3
  + 5 □
  ─────
    8 0
```

| 2 | 4 |
| 6 | 8 |

```
    6 □
  + □ 7
  ─────
    9 1
```

| 1 | 3 |
| 5 | 7 |

```
    5 □
  + 6 8
  ─────
  □ 2 5
```

| 0 | 5 |
| 6 | 9 |

```
    7 □
  + □ 4
  ─────
  1 3 4
```

■ 빈칸에 알맞은 수를 써넣으세요.

```
    3  8            □  1            □  7
 +     □         +     9         +     □
 ─────────       ─────────       ─────────
    4  2            6  □            5  6
```

```
    2  □            □  5            1  6
 +  4  6         +  6  7         +  □  6
 ─────────       ─────────       ─────────
    7  3            8  2            4  2
```

```
    5  □            □  6            7  □
 +  □  5         +  7  □         +  4  3
 ─────────       ─────────       ─────────
    9  0            9  2         1  □  8
```

```
    5  6            6  □            □  8
 +  □  7         +  □  9         +  5  □
 ─────────       ─────────       ─────────
 1  3  □         1  2  4         1  0  6
```

여러 가지 덧셈 방법 (1)

빈칸에 알맞은 수를 써넣어 여러 가지 방법으로 계산해 보세요.

$$28+17$$

28에 10을 먼저 더한 다음
7을 더합니다.

$$28 + 17 = 28 + 10 + 7$$
$$= 38 + \boxed{}$$
$$= \boxed{}$$

십의 자리 수끼리,
일의 자리 수끼리 더합니다.

$$28 + 17 = 20 + 10 + 8 + 7$$
$$= 30 + \boxed{}$$
$$= \boxed{}$$

17을 2와 15로 가른 후
28에 2를 더하고 15를 더합니다.

$$28 + 17 = 28 + 2 + 15$$
$$= \boxed{} + 15$$
$$= \boxed{}$$

28에 2를 더해 몇십을 만듭니다.

17을 12와 5로 가른 후
28에 12를 더하고 5를 더합니다.

$$28 + 17 = 28 + 12 + 5$$
$$= 40 + \boxed{}$$
$$= \boxed{}$$

28에 12를 더해 몇십을 만듭니다.

■ 빈칸에 알맞은 수를 써넣어 여러 가지 방법으로 계산해 보세요.

$$49 + 25$$

49에 20을 먼저 더한 다음
5를 더합니다.

$$49 + 25 = 49 + 20 + 5$$
$$= \boxed{} + 5$$
$$= \boxed{}$$

십의 자리 수끼리,
일의 자리 수끼리 더합니다.

$$49 + 25 = 40 + 20 + 9 + 5$$
$$= 60 + \boxed{}$$
$$= \boxed{}$$

25를 1과 24로 가른 후
49에 1을 더하고 24를 더합니다.

$$49 + 25 = 49 + 1 + 24$$
$$= 50 + \boxed{}$$
$$= \boxed{}$$

25를 21과 4로 가른 후
49에 21을 더하고 4를 더합니다.

$$49 + 25 = 49 + 21 + 4$$
$$= \boxed{} + 4$$
$$= \boxed{}$$

여러 가지 덧셈 방법 (2)

■ 빈칸에 알맞은 수를 써넣으세요.

$16 + 15 = 16 + 10 + \boxed{}$

$ = 26 + \boxed{}$

$ = \boxed{}$

16에 10을 더하고 5를 더합니다.

$37 + 26 = 37 + 20 + \boxed{}$

$ = 57 + \boxed{}$

$ = \boxed{}$

$27 + 29 = 27 + \boxed{} + 9$

$ = \boxed{} + 9$

$ = \boxed{}$

$48 + 14 = 40 + 10 + 8 + 4$

$ = 50 + \boxed{}$

$ = \boxed{}$

십의 자리 수끼리, 일의 자리 수끼리 더합니다.

$35 + 28$
$= 30 + 20 + \boxed{} + \boxed{}$
$= 50 + \boxed{}$
$= \boxed{}$

$19 + 24$
$= 10 + \boxed{} + 9 + \boxed{}$
$= 30 + \boxed{}$
$= \boxed{}$

■ 빈칸에 알맞은 수를 써넣으세요.

$$28 + 44 = 28 + 2 + \boxed{}$$
$$\overset{\curvearrowright}{2 \quad 42}$$
$$= 30 + \boxed{}$$
$$= \boxed{}$$

44를 2와 42로 가릅니다.

$$56 + 19 = 56 + 4 + \boxed{}$$
$$= 60 + \boxed{}$$
$$= \boxed{}$$

$$35 + 27 = 35 + \boxed{} + 22$$
$$= \boxed{} + 22$$
$$= \boxed{}$$

$$26 + 18 = 26 + 14 + \boxed{}$$
$$\overset{\curvearrowright}{14 \quad 4}$$
$$= 40 + \boxed{}$$
$$= \boxed{}$$

18을 14와 4로 가릅니다.

$$39 + 26 = 39 + 21 + \boxed{}$$
$$= 60 + \boxed{}$$
$$= \boxed{}$$

$$28 + 25 = 28 + \boxed{} + 3$$
$$= \boxed{} + 3$$
$$= \boxed{}$$

🗂 왼쪽과 같은 방법으로 주어진 덧셈을 계산해 보세요.

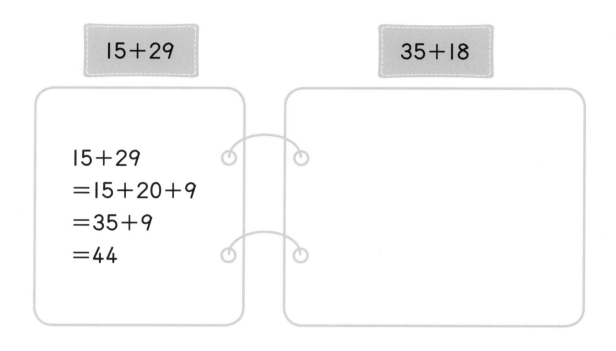

15+29

15+29
=15+20+9
=35+9
=44

35+18

36+25

36+25
=36+4+21
=40+21
=61

44+26

4주차 받아내림 뺄셈 (2)

두 수 찾기

두 수의 차가 가운데 ◯ 안의 수가 되도록 두 수를 찾아 각각 ◯표 하세요.

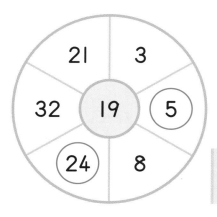

21 3
32 19 ⑤
24 8

십의 자리에서 받아내림
했을 때 일의 자리가 9가
되는 수를 찾습니다.

4 50
40 37 2
3 42

54 6
7 36 45
42 8

16 42
18 25 41
14 53

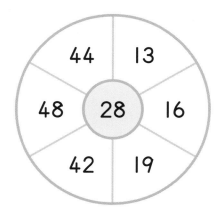

44 13
48 28 16
42 19

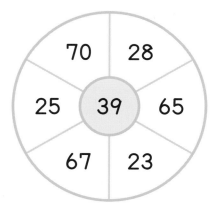

70 28
25 39 65
67 23

📖 수 카드 중에서 2장씩 골라 써넣어 식을 완성해 보세요.

| 3 | 4 | 32 | 33 |

$$\boxed{} - \boxed{} = 28$$

십의 자리에서 받아내림하여 계산했을 때 일의 자리 수가 8이 되는 수를 찾습니다.

| 64 | 65 | 6 | 7 |

$$\boxed{} - \boxed{} = 59$$

| 40 | 41 | 17 | 18 |

$$\boxed{} - \boxed{} = 24$$

| 28 | 29 | 56 | 57 |

$$\boxed{} - \boxed{} = 27$$

| 62 | 63 |
| 7 | 8 | 9 |

$$\boxed{} - \boxed{} = 54$$

$$\boxed{} - \boxed{} = 54$$

| 40 | 41 |
| 24 | 25 | 26 |

$$\boxed{} - \boxed{} = 16$$

$$\boxed{} - \boxed{} = 16$$

빈칸에 들어갈 수를 찾아 ◯표 하세요.

$$33 - \boxed{} = 28$$

⑤	6	7	8

13에서 일의 자리 수를 뺀 차가 8이 되는 수를 찾습니다.

$$74 - \boxed{} = 65$$

6	7	8	9

$$30 - \boxed{} = 12$$

16	17	18	19

$$60 - \boxed{} = 7$$

52	53	54	55

$$50 - \boxed{} = 26$$

24	25	26	27

$$81 - \boxed{} = 43$$

36	37	38	39

$$73 - \boxed{} = 59$$

13	14	15	16

$$97 - \boxed{} = 68$$

26	27	28	29

월 일

■ 빈칸에 들어갈 수를 찾아 모두 ○표 하세요.

$50 - \boxed{} > 42$

| 5 | 6 | 7 | 8 | 9 |

50-8=42이므로 42보다 커지려면 8보다 작은 수를 빼야 합니다.

$62 - \boxed{} < 38$

| 22 | 23 | 24 | 25 | 26 |

62-24=38이므로 38보다 작아지려면 24보다 큰 수를 빼야 합니다.

$70 - \boxed{} > 25$

| 43 | 44 | 45 | 46 | 47 |

$83 - \boxed{} < 69$

| 13 | 14 | 15 | 16 | 17 |

$54 - \boxed{} > 36$

| 16 | 17 | 18 | 19 | 20 |

□가 있는 뺄셈

수 카드 중에서 1장 또는 2장을 골라 써넣어 식을 완성해 보세요.

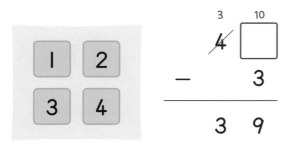

$$
\begin{array}{r}
\overset{3}{\cancel{4}}\ \boxed{}^{10} \\
-\quad 3 \\
\hline
3\ \ 9
\end{array}
$$

(십몇)-3=9 → 12-3=9

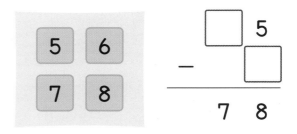

$$
\begin{array}{r}
\boxed{}\ \ 5 \\
-\quad \boxed{} \\
\hline
7\ \ 8
\end{array}
$$

수를 넣은 다음 식이 맞는지 확인합니다.

---

6 7 8 9

$$
\begin{array}{r}
\boxed{}\ \ 0 \\
-\ 2\ \ 7 \\
\hline
5\ \ 3
\end{array}
$$

6 7 8 9

$$
\begin{array}{r}
5\ \ \boxed{} \\
-\ 1\ \ 9 \\
\hline
3\ \ 9
\end{array}
$$

---

5 6 7 8

$$
\begin{array}{r}
\boxed{}\ \ 5 \\
-\ 3\ \ \boxed{} \\
\hline
1\ \ 9
\end{array}
$$

1 2 3 4

$$
\begin{array}{r}
8\ \ \boxed{} \\
-\ \boxed{}\ \ 8 \\
\hline
3\ \ 3
\end{array}
$$

---

1 3 5 7

$$
\begin{array}{r}
6\ \ \boxed{} \\
-\ \boxed{}\ \ 4 \\
\hline
2\ \ 7
\end{array}
$$

0 2 4 8

$$
\begin{array}{r}
9\ \ \boxed{} \\
-\ \boxed{}\ \ 4 \\
\hline
4\ \ 6
\end{array}
$$

빈칸에 알맞은 수를 써넣으세요.

$$\begin{array}{r} 2\ 2 \\ -\ \ \boxed{} \\ \hline 1\ 7 \end{array}$$

$$\begin{array}{r} \boxed{}\ 3 \\ -\ \ \ \ 9 \\ \hline 4\ \boxed{} \end{array}$$

$$\begin{array}{r} \boxed{}\ 7 \\ -\ \ \boxed{} \\ \hline 6\ 9 \end{array}$$

$$\begin{array}{r} 6\ \boxed{} \\ -\ 1\ 3 \\ \hline 4\ 8 \end{array}$$

$$\begin{array}{r} \boxed{}\ 0 \\ -\ 2\ 3 \\ \hline 6\ 7 \end{array}$$

$$\begin{array}{r} 7\ 4 \\ -\ \boxed{}\ 8 \\ \hline 2\ 6 \end{array}$$

$$\begin{array}{r} 8\ \boxed{} \\ -\ \boxed{}\ 9 \\ \hline 2\ 1 \end{array}$$

$$\begin{array}{r} \boxed{}\ 5 \\ -\ 3\ \boxed{} \\ \hline 3\ 6 \end{array}$$

$$\begin{array}{r} 9\ \boxed{} \\ -\ 4\ 7 \\ \hline \boxed{}\ 7 \end{array}$$

$$\begin{array}{r} \boxed{}\ 0 \\ -\ 3\ 2 \\ \hline 4\ \boxed{} \end{array}$$

$$\begin{array}{r} 6\ \boxed{} \\ -\ \boxed{}\ 9 \\ \hline 2\ 8 \end{array}$$

$$\begin{array}{r} \boxed{}\ 3 \\ -\ 6\ \boxed{} \\ \hline 1\ 6 \end{array}$$

여러 가지 뺄셈 방법 (1)

빈칸에 알맞은 수를 써넣어 여러 가지 방법으로 계산해 보세요.

$$50-16$$

50에서 10을 먼저 빼고
6을 더 뺍니다.

$$50-16 = 50-10-6$$
$$= 40 - \boxed{}$$
$$= \boxed{}$$

50에서 6을 먼저 빼고
10을 더 뺍니다.

$$50-16 = 50-6-10$$
$$= 44 - \boxed{}$$
$$= \boxed{}$$

50을 20과 30으로 가른 후
20에서 16을 빼고 30을 더합니다.

$$50-16 = 20-16+30$$
$$= \boxed{} + 30$$
$$= \boxed{}$$

빈칸에 알맞은 수를 써넣어 여러 가지 방법으로 계산해 보세요.

$$43 - 28$$

43에서 20을 먼저 빼고
8을 더 뺍니다.

$$43 - 28 = 43 - 20 - 8$$
$$= 23 - \boxed{}$$
$$= \boxed{}$$

43에서 8을 먼저 빼고
20을 더 뺍니다.

$$43 - 28 = 43 - 8 - 20$$
$$= \boxed{} - 20$$
$$= \boxed{}$$

28을 23과 5로 가른 후
43에서 23을 빼고 5를 더 뺍니다.

$$43 - 28 = 43 - 23 - 5$$
$$= 20 - \boxed{}$$
$$= \boxed{}$$

43을 40과 3으로 가른 후
40에서 28을 빼고 3을 더합니다.

$$43 - 28 = 40 - 28 + 3$$
$$= \boxed{} + 3$$
$$= \boxed{}$$

여러 가지 뺄셈 방법 (2)

📘 빈칸에 알맞은 수를 써넣으세요.

$$40 - 13 = 40 - 10 - \boxed{}$$
$$= 30 - \boxed{}$$
$$= \boxed{}$$

40에서 10을 빼고 3을 더 뺍니다.

$$36 - 18 = 36 - 10 - \boxed{}$$
$$= 26 - \boxed{}$$
$$= \boxed{}$$

$$51 - 25 = 51 - \boxed{} - 5$$
$$= \boxed{} - 5$$
$$= \boxed{}$$

$$60 - 37 = 60 - 7 - \boxed{}$$
$$= 53 - \boxed{}$$
$$= \boxed{}$$

60에서 7을 빼고 30을 더 뺍니다.

$$45 - 19 = 45 - 9 - \boxed{}$$
$$= 36 - \boxed{}$$
$$= \boxed{}$$

$$72 - 28 = 72 - \boxed{} - 20$$
$$= \boxed{} - 20$$
$$= \boxed{}$$

빈칸에 알맞은 수를 써넣으세요.

$$53 - 17 = 53 - 13 - \boxed{}$$
$$\underset{13 \quad 4}{}$$
$$= 40 - \boxed{}$$
$$= \boxed{}$$

17을 13과 4로 가릅니다.

$$78 - 39 = 78 - 38 - \boxed{}$$
$$= 40 - \boxed{}$$
$$= \boxed{}$$

$$42 - 14 = 42 - \boxed{} - 2$$
$$= \boxed{} - 2$$
$$= \boxed{}$$

$$73 - 36 = 70 - 36 + \boxed{}$$
$$\underset{70 \quad 3}{}$$
$$= 34 + \boxed{}$$
$$= \boxed{}$$

73을 70과 3으로 가릅니다.

$$55 - 26 = 50 - 26 + \boxed{}$$
$$= 24 + \boxed{}$$
$$= \boxed{}$$

$$81 - 35 = 80 - \boxed{} + 1$$
$$= \boxed{} + 1$$
$$= \boxed{}$$

■ 두 가지 방법으로 계산해 보세요.

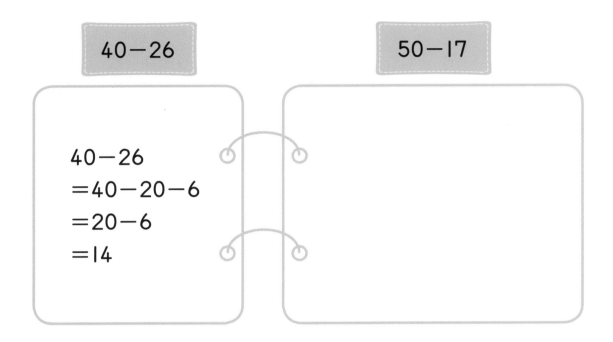

40−26

$$40-26$$
$$=40-20-6$$
$$=20-6$$
$$=14$$

50−17

32−15

$$32-15$$
$$=30-15+2$$
$$=15+2$$
$$=17$$

65−36

5주차 덧셈과 뺄셈

큰 합, 작은 합

수 카드 2장을 골라 두 자리 수를 만들어 주어진 수와 계산합니다. 계산 결과가 가장 커지는 식을 쓰고 계산해 보세요.

| 2 | 4 | 6 |

$52 + \boxed{64} = \underline{116}$

합이 커지려면 큰 수를 더해야 합니다.

| 2 | 3 | 4 |

$27 + \boxed{} = \underline{}$

| 1 | 5 | 9 |

$39 + \boxed{} = \underline{}$

| 3 | 6 | 8 |

$45 + \boxed{} = \underline{}$

| 3 | 4 | 5 |

$\boxed{} + 47 = \underline{}$

| 2 | 4 | 7 |

$\boxed{} + 68 = \underline{}$

| 5 | 6 | 7 |

$\boxed{} + 58 = \underline{}$

| 1 | 3 | 5 |

$\boxed{} + 79 = \underline{}$

수 카드 2장을 골라 두 자리 수를 만들어 주어진 수와 계산합니다. 계산 결과가 가장 작아지는 식을 쓰고 계산해 보세요.

| 3 | 4 | 5 |

$$39 + \boxed{34} = \underline{\quad 73 \quad}$$

합이 작아지려면 작은 수를 더해야 합니다.

| 1 | 4 | 7 |

$$67 + \boxed{} = \underline{\qquad}$$

| 2 | 5 | 9 |

$$35 + \boxed{} = \underline{\qquad}$$

| 1 | 3 | 6 |

$$59 + \boxed{} = \underline{\qquad}$$

| 5 | 7 | 8 |

$$\boxed{} + 48 = \underline{\qquad}$$

| 3 | 6 | 7 |

$$\boxed{} + 55 = \underline{\qquad}$$

| 6 | 7 | 8 |

$$\boxed{} + 27 = \underline{\qquad}$$

| 4 | 5 | 7 |

$$\boxed{} + 56 = \underline{\qquad}$$

일

📘 수 카드 2장을 골라 두 자리 수를 만들어 주어진 수와 계산합니다. 계산 결과가 가장 커지는 식을 쓰고 계산해 보세요.

| 3 | 4 | 5 |

$$63 - \boxed{34} = \underline{\quad 29 \quad}$$

차가 커지려면 적게 빼야 합니다.

| 4 | 6 | 8 |

$$70 - \boxed{} = \underline{\qquad}$$

| 5 | 7 | 8 |

$$85 - \boxed{} = \underline{\qquad}$$

| 1 | 4 | 5 |

$$51 - \boxed{} = \underline{\qquad}$$

| 2 | 3 | 4 |

$$\boxed{} - 19 = \underline{\qquad}$$

차가 커지려면 큰 수에서 빼야 합니다.

| 3 | 6 | 9 |

$$\boxed{} - 27 = \underline{\qquad}$$

| 5 | 7 | 9 |

$$\boxed{} - 48 = \underline{\qquad}$$

| 2 | 4 | 6 |

$$\boxed{} - 38 = \underline{\qquad}$$

📘 수 카드 2장을 골라 두 자리 수를 만들어 주어진 수와 계산합니다. 계산 결과가 가장 작아지는 식을 쓰고 계산해 보세요.

| 1 | 2 | 3 |

$41 - \boxed{32} = \underline{\quad 9 \quad}$

차가 작아지려면 많이 빼야 합니다.

| 4 | 5 | 6 |

$70 - \boxed{} = \underline{\qquad}$

| 2 | 3 | 4 |

$\boxed{} - 16 = \underline{\qquad}$

차가 작아지려면 15보다 크면서 작은 수에서 빼야 합니다.

| 4 | 6 | 8 |

$\boxed{} - 29 = \underline{\qquad}$

| 3 | 4 | 7 |

$82 - \boxed{} = \underline{\qquad}$

| 1 | 4 | 6 |

$93 - \boxed{} = \underline{\qquad}$

| 6 | 7 | 9 |

$\boxed{} - 59 = \underline{\qquad}$

| 4 | 5 | 7 |

$\boxed{} - 36 = \underline{\qquad}$

세 수의 계산 (1)

■ 빈칸에 알맞은 수를 써넣으세요.

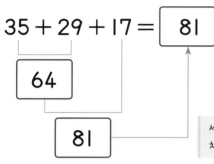

$35 + 29 + 17 = \boxed{81}$

$\boxed{64}$

$\boxed{81}$

> 세 수의 덧셈은 앞에서부터 차례로 계산합니다.

$$\begin{array}{r} 3\ 5 \\ +\ 2\ 9 \\ \hline \boxed{6\ 4} \end{array} \qquad \begin{array}{r} \boxed{6\ 4} \\ +\ 1\ 7 \\ \hline \boxed{8\ 1} \end{array}$$

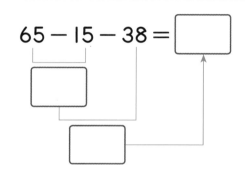

$65 - 15 - 38 = \boxed{}$

$\boxed{}$

$\boxed{}$

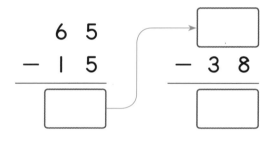

$$\begin{array}{r} 6\ 5 \\ -\ 1\ 5 \\ \hline \boxed{} \end{array} \qquad \begin{array}{r} \boxed{} \\ -\ 3\ 8 \\ \hline \boxed{} \end{array}$$

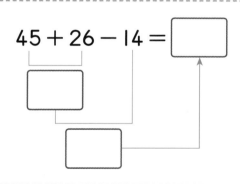

$45 + 26 - 14 = \boxed{}$

$\boxed{}$

$\boxed{}$

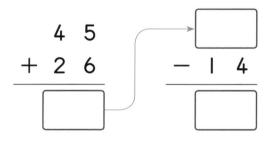

$$\begin{array}{r} 4\ 5 \\ +\ 2\ 6 \\ \hline \boxed{} \end{array} \qquad \begin{array}{r} \boxed{} \\ -\ 1\ 4 \\ \hline \boxed{} \end{array}$$

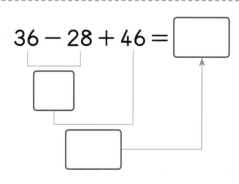

$36 - 28 + 46 = \boxed{}$

$\boxed{}$

$\boxed{}$

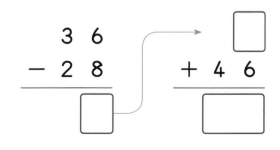

$$\begin{array}{r} 3\ 6 \\ -\ 2\ 8 \\ \hline \boxed{} \end{array} \qquad \begin{array}{r} \boxed{} \\ +\ 4\ 6 \\ \hline \boxed{} \end{array}$$

빈 곳에 알맞은 수를 써넣으세요.

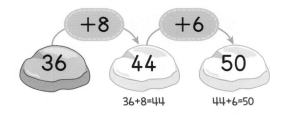

36+8=44   44+6=50

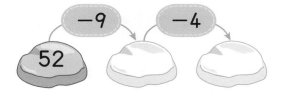

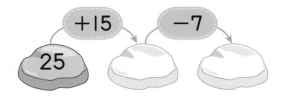

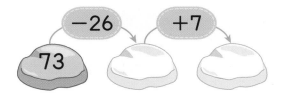

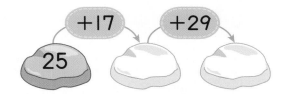

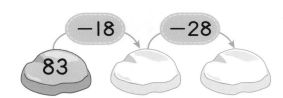

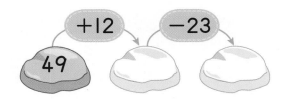

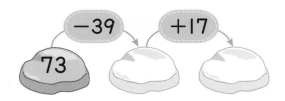

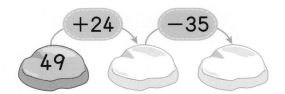

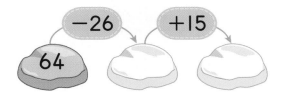

세 수의 계산 (2)

🔖 계산을 하세요.

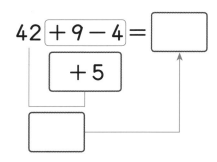

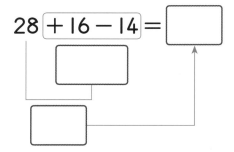

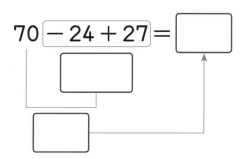

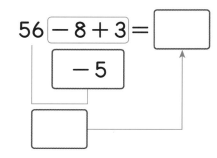

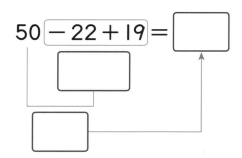

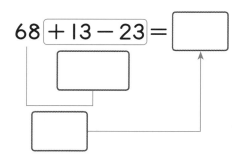

★ 세 수의 계산

세 수의 계산은 앞에서부터 차례로 계산하지만 뒤의 두 수를 먼저 계산하는 것이 편리한 경우도 있습니다.

$35 + 18 - 16 = 37$

$+ 2$

37

18에서 16을 빼면 2, 35에서 2를 더합니다.

$48 - 8 + 5 = 45$

$- 3$

45

빼는 수가 3 더 크므로 48에서 3을 뺍니다.

■ 계산을 하세요.

$26 + 16 + 18$

$18 + 26 + 47$

$50 - 13 - 19$

$52 - 28 - 16$

$59 + 34 - 16$

$65 - 17 + 24$

$24 + 46 - 38$

$16 + 7 - 4$

$30 - 2 + 6$

$54 + 9 - 8$

$63 - 19 + 15$

$45 + 17 - 13$

$35 - 18 + 16$

$72 + 19 - 13$

물음에 답하세요.

주차장에 자동차가 25대 있었습니다. 17대가 더 들어오고 19대가 나갔습니다. 주차장에 남아 있는 자동차는 몇 대일까요?

식 $25 + 17 - 19 = 23$ 답   23   대

화단에 꽃이 36송이 있었습니다. 아침에 18송이를 심고 저녁에 16송이를 더 심었습니다. 화단에 있는 꽃은 몇 송이일까요?

식   답   송이

버스에 30명이 타고 있었습니다. 학교 앞 정류장에서 8명이 타고 12명이 내렸습니다. 버스에는 몇 명이 타고 있을까요?

식   답   명

준기는 사탕 41개를 가지고 있었는데 친구에게 13개를 주고 24개를 더 샀습니다. 준기가 가지고 있는 사탕은 몇 개일까요?

식   답   개

📖 **물음에 답하세요.**

연아는 구슬 54개를 가지고 있었습니다. 이 중에서 27개를 잃어버리고 16개를 더 샀습니다. 연아가 가지고 있는 구슬은 몇 개일까요?

식 _____ 답 _____ 개

색종이 73장이 있었습니다. 종이배를 접는 데 18장 사용하고 종이학을 접는 데 25장 사용했습니다. 남아 있는 색종이는 몇 장일까요?

식 _____ 답 _____ 장

지안이는 사과를 58개 땄고 윤서는 33개 땄습니다. 두 사람이 딴 사과 중에서 15개를 먹었습니다. 남아 있는 사과는 몇 개일까요?

식 _____ 답 _____ 개

1반에는 학생이 26명, 2반에는 학생이 28명 있습니다. 1반과 2반 학생 중에서 남학생이 25명이라면 여학생은 몇 명일까요?

식 _____ 답 _____ 명

수 카드 중에서 한 장씩 골라 써넣어 식을 완성해 보세요.

| 9 | 14 | 18 |

$$25 + 17 - \boxed{18} = 24$$

$$25 + 8 - \boxed{} = 24$$

$$25 - 15 + \boxed{} = 24$$

25에서 24가 되려면 1을 빼야 하므로
17보다 1 더 큰 18을 뺍니다.

| 20 | 21 | 23 |

$$38 + 22 - \boxed{} = 40$$

$$38 + 25 - \boxed{} = 40$$

$$38 - 19 + \boxed{} = 40$$

| 12 | 13 | 22 |

$$36 + 18 - \boxed{} = 41$$

$$36 - 17 + \boxed{} = 41$$

$$36 - 7 + \boxed{} = 41$$

| 24 | 26 | 29 |

$$62 - 28 + \boxed{} = 58$$

$$62 - 33 + \boxed{} = 58$$

$$62 + 22 - \boxed{} = 58$$

정답

8·9쪽

01 (두 자리 수)+(한 자리 수)

월 일

그림을 보고 덧셈을 해 보세요.

$27+6=\boxed{33}$

$$\begin{array}{r} \overset{1}{2}\,7 \\ +\quad 6 \\ \hline \boxed{3\ 3} \end{array}$$

일 모형 10개를 십 모형 1개로 바꿉니다.

$43+7=\boxed{50}$

$$\begin{array}{r} 4\,3 \\ +\quad 7 \\ \hline \boxed{5\ 0} \end{array}$$

$9+32=\boxed{41}$

$$\begin{array}{r} 9 \\ +\,3\,2 \\ \hline \boxed{4\ 1} \end{array}$$

★ 세로로 덧셈하기

$$\begin{array}{r} 2\,8 \\ +\quad 6 \\ \hline \end{array} \rightarrow \begin{array}{r} \overset{1}{2}\,8 \\ +\quad 6 \\ \hline 4 \end{array}$$

8+6=14에서 10은 십의 자리로 받아올림하여 십의 자리 위에 작게 1로 나타내고 남은 4는 일의 자리에 내려 씁니다.

$$\begin{array}{r} \overset{1}{2}\,8 \\ +\quad 6 \\ \hline 3\,4 \end{array}$$

받아올림한 1과 십의 자리 수 2를 더하여 십의 자리에 3을 내려 씁니다.

$28+6=20+10+4=34$

계산해 보세요.

$$\begin{array}{r} 2\,7 \\ +\quad 4 \\ \hline 3\,1 \end{array} \qquad \begin{array}{r} 4\,8 \\ +\quad 5 \\ \hline 5\,3 \end{array} \qquad \begin{array}{r} 5\,9 \\ +\quad 1 \\ \hline 6\,0 \end{array} \qquad \begin{array}{r} 7\,5 \\ +\quad 9 \\ \hline 8\,4 \end{array}$$

$$\begin{array}{r} 5 \\ +\,3\,7 \\ \hline 4\,2 \end{array} \qquad \begin{array}{r} 7 \\ +\,2\,8 \\ \hline 3\,5 \end{array} \qquad \begin{array}{r} 6 \\ +\,4\,6 \\ \hline 5\,2 \end{array} \qquad \begin{array}{r} 9 \\ +\,8\,2 \\ \hline 9\,1 \end{array}$$

$14+9=23$ $\qquad$ $42+8=50$

$59+7=66$ $\qquad$ $38+9=47$

$5+35=40$ $\qquad$ $4+48=52$

$6+57=63$ $\qquad$ $9+76=85$

8 교과연산 B1

1주차. 받아올림 덧셈 (1) 9

10·11쪽

02 (두 자리 수)+(두 자리 수) (1)

월 일

그림을 보고 덧셈을 해 보세요.

$15+27=\boxed{42}$

$$\begin{array}{r} \overset{1}{1}\,5 \\ +\,2\,7 \\ \hline \boxed{4\ 2} \end{array}$$

일 모형 10개를 십 모형 1개로 바꿉니다.

$39+16=\boxed{55}$

$$\begin{array}{r} 3\,9 \\ +\,1\,6 \\ \hline \boxed{5\ 5} \end{array}$$

$24+38=\boxed{62}$

$$\begin{array}{r} 2\,4 \\ +\,3\,8 \\ \hline \boxed{6\ 2} \end{array}$$

★ 세로로 덧셈하기

$$\begin{array}{r} 2\,4 \\ +\,1\,7 \\ \hline \end{array} \rightarrow \begin{array}{r} \overset{1}{2}\,4 \\ +\,1\,7 \\ \hline 1 \end{array}$$

4+7=11에서 10은 십의 자리로 받아올림하여 십의 자리 위에 작게 1로 나타내고 남은 1은 일의 자리에 내려 씁니다.

$$\begin{array}{r} \overset{1}{2}\,4 \\ +\,1\,7 \\ \hline 4\,1 \end{array}$$

받아올림한 1과 십의 자리 수 2, 1을 더하여 십의 자리에 4를 내려 씁니다.

$24+17=20+10+10+1=41$

계산해 보세요.

$$\begin{array}{r} 1\,8 \\ +\,2\,4 \\ \hline 4\,2 \end{array} \qquad \begin{array}{r} 4\,7 \\ +\,2\,6 \\ \hline 7\,3 \end{array} \qquad \begin{array}{r} 1\,9 \\ +\,5\,5 \\ \hline 7\,4 \end{array} \qquad \begin{array}{r} 4\,2 \\ +\,3\,9 \\ \hline 8\,1 \end{array}$$

$$\begin{array}{r} 5\,6 \\ +\,2\,4 \\ \hline 8\,0 \end{array} \qquad \begin{array}{r} 3\,8 \\ +\,2\,7 \\ \hline 6\,5 \end{array} \qquad \begin{array}{r} 3\,6 \\ +\,1\,8 \\ \hline 5\,4 \end{array} \qquad \begin{array}{r} 5\,7 \\ +\,3\,7 \\ \hline 9\,4 \end{array}$$

$36+15=51$ $\qquad$ $18+25=43$

$45+19=64$ $\qquad$ $38+22=60$

$24+46=70$ $\qquad$ $39+39=78$

$35+48=83$ $\qquad$ $74+17=91$

10 교과연산 B1

1주차. 받아올림 덧셈 (1) 11

03 두 수의 합

월 일

■ 두 수의 합을 구해 보세요.

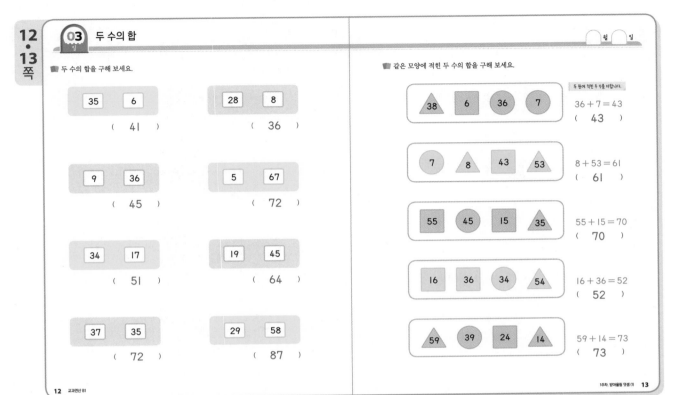

| 35 | 6 |
(41)

| 28 | 8 |
(36)

| 9 | 36 |
(45)

| 5 | 67 |
(72)

| 34 | 17 |
(51)

| 19 | 45 |
(64)

| 37 | 35 |
(72)

| 29 | 58 |
(87)

■ 같은 모양에 적힌 두 수의 합을 구해 보세요.

두 원에 적힌 두 수를 더합니다.

38 6 36 7   36 + 7 = 43
(43)

7 8 43 53   8 + 53 = 61
(61)

55 45 15 35   55 + 15 = 70
(70)

16 36 34 54   16 + 36 = 52
(52)

59 39 24 14   59 + 14 = 73
(73)

04 (두 자리 수)+(두 자리 수) (2)

월 일

■ 그림을 보고 덧셈을 해 보세요.

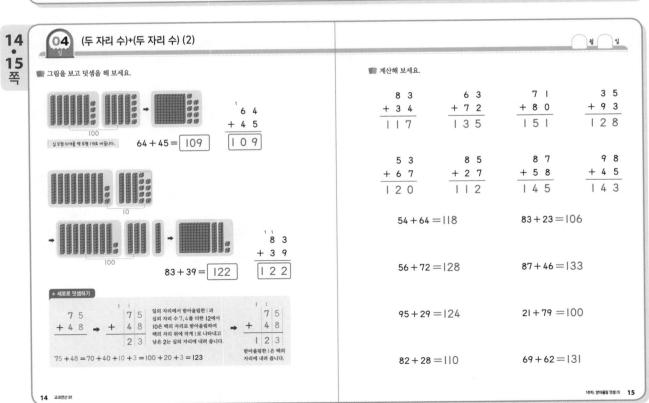

십 모형 10개를 백 모형 1개로 바꿉니다.

64 + 45 = 109

```
  1
  6 4
+ 4 5
1 0 9
```

100

10

100

83 + 39 = 122

```
 1 1
  8 3
+ 3 9
1 2 2
```

★ 세로로 덧셈하기

```
  7 5        1 1        일의 자리에서 받아올림한 1과      1 1
+ 4 8   →    7 5        십의 자리 수 7, 4를 더한 12에서  →   7 5
           + 4 8        10은 백의 자리로 받아올림하여         + 4 8
           ─────        백의 자리 위에 작게 1로 나타내고        ─────
             2 3        남은 2는 십의 자리에 내려 씁니다.         1 2 3
```

75 + 48 = 70 + 40 + 10 + 3 = 100 + 20 + 3 = 123

받아올림한 1은 백의 자리에 내려 씁니다.

■ 계산해 보세요.

```
  8 3        6 3        7 1        3 5
+ 3 4      + 7 2      + 8 0      + 9 3
1 1 7      1 3 5      1 5 1      1 2 8
```

```
  5 3        8 5        8 7        9 8
+ 6 7      + 2 7      + 5 8      + 4 5
1 2 0      1 1 2      1 4 5      1 4 3
```

54 + 64 = 118   83 + 23 = 106

56 + 72 = 128   87 + 46 = 133

95 + 29 = 124   21 + 79 = 100

82 + 28 = 110   69 + 62 = 131

05 이야기하기

16·17쪽

📖 물음에 답하세요.

연지는 동화책을 어제는 35쪽, 오늘은 7쪽 읽었습니다. 연지가 어제와 오늘 읽은 동화책은 모두 몇 쪽일까요?

식 $35 + 7 = 42$ 답 42 쪽

호운이의 나이는 9살이고 호운이의 삼촌의 나이는 호운이보다 28살 더 많습니다. 호운이의 삼촌의 나이는 몇 살일까요?

식 $9 + 28 = 37$ 답 37 살

준우는 도토리를 44개 주웠고 한솔이는 36개 주웠습니다. 두 사람이 주운 도토리는 모두 몇 개일까요?

식 $44 + 36 = 80$ 답 80 개
또는 $36 + 44 = 80$

농장에 닭이 25마리, 오리가 29마리 있습니다. 농장에 있는 닭과 오리는 모두 몇 마리일까요?

식 $25 + 29 = 54$ 답 54 마리
또는 $29 + 25 = 54$

📖 물음에 답하세요.

화단에 꽃이 63송이 있는데 50송이를 더 심었습니다. 화단에 있는 꽃은 모두 몇 송이일까요?

식 $63 + 50 = 113$ 답 113 송이

지한이는 아침에 줄넘기를 56번 넘었고 저녁에 72번 넘었습니다. 지한이는 줄넘기를 모두 몇 번 넘었을까요?

식 $56 + 72 = 128$ 답 128 번
또는 $72 + 56 = 128$

다은이네 집에 귤이 85개 있었는데 어머니께서 귤 45개를 더 사오셨습니다. 다은이네 집에 있는 귤은 모두 몇 개일까요?

식 $85 + 45 = 130$ 답 130 개

시은이는 사과를 68개 땄고 지우는 54개 땄습니다. 두 사람이 딴 사과는 모두 몇 개일까요?

식 $68 + 54 = 122$ 답 122 개
또는 $54 + 68 = 122$

16 교과연산 B1

1주차. 받아올림 덧셈 (1) 17

18쪽

📖 선으로 연결된 두 수의 합을 아래쪽 빈칸에 써넣으세요.

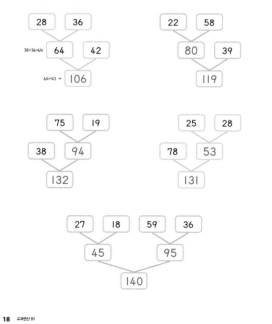

18 교과연산 B1

4   교과연산 B1

06 (두 자리 수)-(한 자리 수)

🖐 그림을 보고 뺄셈을 해 보세요.

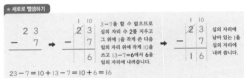

십 모형 1개를 일 모형 10개로 바꿉니다.

$32 - 4 = \boxed{28}$

$$\begin{array}{r} \overset{2}{\cancel{3}} \ \overset{10}{2} \\ - \quad 4 \\ \hline 2 \ 8 \end{array}$$

$27 - 8 = \boxed{19}$

$$\begin{array}{r} 2 \ 7 \\ - \quad 8 \\ \hline 1 \ 9 \end{array}$$

$40 - 7 = \boxed{33}$

$$\begin{array}{r} 4 \ 0 \\ - \quad 7 \\ \hline 3 \ 3 \end{array}$$

★ 세로로 뺄셈하기

$$\begin{array}{r} 2 \ 3 \\ - \quad 7 \\ \hline \end{array}$$
→
$$\begin{array}{r} \overset{1}{\cancel{2}} \ \overset{10}{3} \\ - \quad 7 \\ \hline 6 \end{array}$$
3-7을 할 수 없으므로 십의 자리 수 2를 지우고 그 위에 1을 작게 쓴 다음 일의 자리 위에 작게 10을 쓰고 13-7=6에서 6을 일의 자리에 내려씁니다.
→
$$\begin{array}{r} \overset{1}{\cancel{2}} \ \overset{10}{3} \\ - \quad 7 \\ \hline 1 \ 6 \end{array}$$
십의 자리에 남아 있는 1을 십의 자리에 내려 씁니다.

$23 - 7 = 10 + 13 - 7 = 10 + 6 = 16$

🖐 계산해 보세요.

$$\begin{array}{r} 3 \ 7 \\ - \quad 9 \\ \hline 2 \ 8 \end{array} \quad \begin{array}{r} 2 \ 4 \\ - \quad 5 \\ \hline 1 \ 9 \end{array} \quad \begin{array}{r} 4 \ 6 \\ - \quad 8 \\ \hline 3 \ 8 \end{array} \quad \begin{array}{r} 3 \ 2 \\ - \quad 6 \\ \hline 2 \ 6 \end{array}$$

$$\begin{array}{r} 5 \ 1 \\ - \quad 2 \\ \hline 4 \ 9 \end{array} \quad \begin{array}{r} 4 \ 3 \\ - \quad 7 \\ \hline 3 \ 6 \end{array} \quad \begin{array}{r} 6 \ 2 \\ - \quad 8 \\ \hline 5 \ 4 \end{array} \quad \begin{array}{r} 9 \ 0 \\ - \quad 7 \\ \hline 8 \ 3 \end{array}$$

$43 - 5 = 38$ $25 - 9 = 16$

$22 - 7 = 15$ $70 - 9 = 61$

$58 - 9 = 49$ $34 - 8 = 26$

$61 - 4 = 57$ $83 - 6 = 77$

---

07 (두 자리 수)-(두 자리 수) (1)

🖐 그림을 보고 뺄셈을 해 보세요.

십 모형 1개를 일 모형 10개로 바꿉니다.

$30 - 15 = \boxed{15}$

$$\begin{array}{r} \overset{2}{\cancel{3}} \ \overset{10}{0} \\ - \ 1 \ 5 \\ \hline 1 \ 5 \end{array}$$

$40 - 13 = \boxed{27}$

$$\begin{array}{r} 4 \ 0 \\ - \ 1 \ 3 \\ \hline 2 \ 7 \end{array}$$

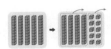

$50 - 46 = \boxed{4}$

$$\begin{array}{r} 5 \ 0 \\ - \ 4 \ 6 \\ \hline 4 \end{array}$$

★ 세로로 뺄셈하기

$$\begin{array}{r} 4 \ 0 \\ - \ 2 \ 3 \\ \hline \end{array}$$
→
$$\begin{array}{r} \overset{3}{\cancel{4}} \ \overset{10}{0} \\ - \ 2 \ 3 \\ \hline 7 \end{array}$$
0-3을 할 수 없으므로 십의 자리 수 4를 지우고 그 위에 3을 작게 쓴 다음 일의 자리 위에 작게 10을 쓰고 10-3=7에서 7을 일의 자리에 내려씁니다.
→
$$\begin{array}{r} \overset{3}{\cancel{4}} \ \overset{10}{0} \\ - \ 2 \ 3 \\ \hline 1 \ 7 \end{array}$$
십의 자리에 남아 있는 3에서 2를 뺀 값을 십의 자리에 내려씁니다.

$40 - 23 = 30 + 10 - 20 - 3 = 17$

🖐 계산해 보세요.

$$\begin{array}{r} 3 \ 0 \\ - \ 1 \ 2 \\ \hline 1 \ 8 \end{array} \quad \begin{array}{r} 5 \ 0 \\ - \ 2 \ 6 \\ \hline 2 \ 4 \end{array} \quad \begin{array}{r} 7 \ 0 \\ - \ 3 \ 3 \\ \hline 3 \ 7 \end{array} \quad \begin{array}{r} 4 \ 0 \\ - \ 1 \ 5 \\ \hline 2 \ 5 \end{array}$$

$$\begin{array}{r} 8 \ 0 \\ - \ 2 \ 7 \\ \hline 5 \ 3 \end{array} \quad \begin{array}{r} 9 \ 0 \\ - \ 6 \ 4 \\ \hline 2 \ 6 \end{array} \quad \begin{array}{r} 6 \ 0 \\ - \ 1 \ 9 \\ \hline 4 \ 1 \end{array} \quad \begin{array}{r} 3 \ 0 \\ - \ 2 \ 8 \\ \hline 2 \end{array}$$

$50 - 35 = 15$ $40 - 22 = 18$

$60 - 59 = 1$ $70 - 47 = 23$

$80 - 21 = 59$ $60 - 26 = 34$

$90 - 43 = 47$ $70 - 18 = 52$

24 · 25 쪽

08 (두 자리 수)-(두 자리 수) (2)

🔲 그림을 보고 뺄셈을 해 보세요.

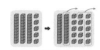 35 − 16 = 19

$$\begin{array}{r} \overset{2}{\cancel{3}}\ \overset{10}{5} \\ -\ 1\ 6 \\ \hline 1\ 9 \end{array}$$

십 모형 1개를 일 모형 10개로 바꿉니다.

 42 − 27 = 15

$$\begin{array}{r} 4\ 2 \\ -\ 2\ 7 \\ \hline 1\ 5 \end{array}$$

33 − 25 = 8

$$\begin{array}{r} 3\ 3 \\ -\ 2\ 5 \\ \hline 8 \end{array}$$

★ 세로로 뺄셈하기

 2−7을 할 수 없으므로 십의 자리 수 5를 지우고 그 위에 4를 작게 쓴 다음 일의 자리 위에 10을 쓰고 12−7=5에서 5를 일의 자리에 내려씁니다.

십의 자리에 남아 있는 4에서 1을 뺀 값을 십의 자리에 내려 씁니다.

52 − 17 = 40 + 12 − 10 − 7 = 35

🔲 계산해 보세요.

$$\begin{array}{r} 4\ 3 \\ -\ 1\ 6 \\ \hline 2\ 7 \end{array}\qquad \begin{array}{r} 5\ 2 \\ -\ 2\ 4 \\ \hline 2\ 8 \end{array}\qquad \begin{array}{r} 7\ 4 \\ -\ 3\ 6 \\ \hline 3\ 8 \end{array}\qquad \begin{array}{r} 9\ 5 \\ -\ 4\ 6 \\ \hline 4\ 9 \end{array}$$

$$\begin{array}{r} 8\ 1 \\ -\ 6\ 5 \\ \hline 1\ 6 \end{array}\qquad \begin{array}{r} 9\ 2 \\ -\ 3\ 4 \\ \hline 5\ 8 \end{array}\qquad \begin{array}{r} 5\ 3 \\ -\ 4\ 7 \\ \hline 6 \end{array}\qquad \begin{array}{r} 7\ 6 \\ -\ 1\ 9 \\ \hline 5\ 7 \end{array}$$

35 − 16 = 19   51 − 28 = 23

46 − 38 = 8   73 − 47 = 26

62 − 25 = 37   84 − 39 = 45

91 − 19 = 72   63 − 24 = 39

26 · 27 쪽

09 두 수의 차

🔲 두 수의 차를 구해 보세요.

| 23 | 5 |
(18)

차는 큰 수에서 작은 수를 빼야 합니다.

| 45 | 8 |
(37)

| 50 | 16 |
(34)

| 28 | 70 |
(42)

| 51 | 24 |
(27)

| 16 | 74 |
(58)

| 83 | 45 |
(38)

| 26 | 95 |
(69)

🔲 같은 모양에 적힌 두 수의 차를 구해 보세요.

두 원에 적힌 두 수의 차를 구합니다.

 52 − 7 = 45
(45)

 30 − 21 = 9
(9)

 90 − 54 = 36
(36)

 45 − 16 = 29
(29)

 92 − 67 = 25
(25)

10 이야기하기

📖 물음에 답하세요.

교실에 학생이 32명 있었는데 6명이 교실 밖으로 나갔습니다. 교실에 남아 있는 학생은 몇 명일까요?

식 __32 − 6 = 26__   답 __26__ 명

지우의 어머니의 나이는 35살, 아버지의 나이는 40살입니다. 지우의 아버지는 어머니보다 몇 살 더 많을까요?

식 __40 − 35 = 5__   답 __5__ 살

운동장에 학생이 43명 있는데 그중에서 14명은 모자를 썼습니다. 모자를 쓰지 않은 학생은 몇 명일까요?

식 __43 − 14 = 29__   답 __29__ 명

산이는 색종이를 82장 모았고 하늘이는 55장 모았습니다. 산이는 하늘이보다 색종이를 몇 장 더 모았을까요?

식 __82 − 55 = 27__   답 __27__ 장

📖 물음에 답하세요.

공원에 참새가 50마리, 비둘기가 29마리 있습니다. 참새와 비둘기 중 어느 것이 몇 마리 더 많을까요?

50 − 29 = 21   __참새__가 __21__ 마리 더 많습니다.

승호는 사탕을 18개 가지고 있고 지아는 40개 가지고 있습니다. 누가 사탕을 몇 개 더 많이 가지고 있을까요?

40 − 18 = 22   __지아__가 사탕을 __22__ 개 더 많이 가지고 있습니다.

선아는 종이학을 25개 접었고 현수는 72개 접었습니다. 누가 종이학을 몇 개 더 많이 접었을까요?

72 − 25 = 47   __현수__가 종이학을 __47__ 개 더 많이 접었습니다.

규성이는 사과를 64개 땄고 성훈이는 59개 땄습니다. 누가 사과를 몇 개 더 많이 땄을까요?

64 − 59 = 5   __규성__이가 사과를 __5__ 개 더 많이 땄습니다.

📖 선으로 연결된 두 수의 차를 아래쪽 빈칸에 써넣으세요.

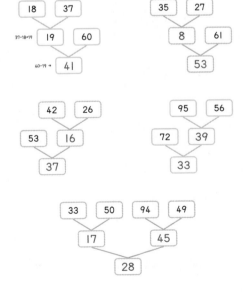

정답

11 두 수 찾기

월 일

두 수의 합이 가운데 ◯ 안의 수가 되도록 두 수를 찾아 각각 ◯표 하세요.

수 카드 중에서 2장씩 골라 써넣어 식을 완성해 보세요.

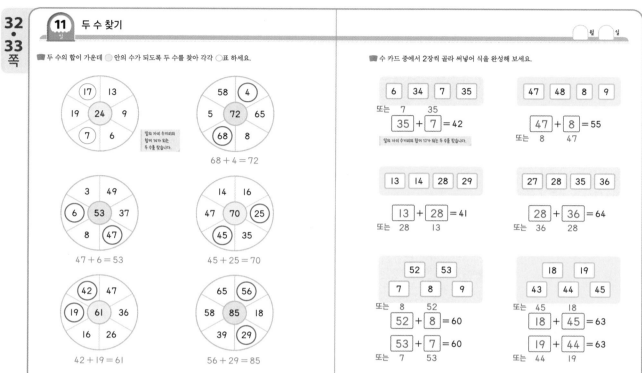

68 + 4 = 72

47 + 6 = 53

45 + 25 = 70

42 + 19 = 61

56 + 29 = 85

일의 자리 수끼리의 합이 14가 되는 두 수를 찾습니다.

6 34 7 35

7 35
35 + 7 = 42
또는

일의 자리 수끼리의 합이 12가 되는 두 수를 찾습니다.

47 48 8 9

47 + 8 = 55
또는 8 47

13 14 28 29

13 + 28 = 41
또는 28 13

27 28 35 36

28 + 36 = 64
또는 36 28

52 53
7 8 9

8 52
52 + 8 = 60
또는
53 + 7 = 60
7 53

18 19
43 44 45

45 18
18 + 45 = 63
또는
19 + 44 = 63
44 19

12 식 완성하기

월 일

빈칸에 들어갈 수를 찾아 ◯표 하세요.

9 + 3 = 12로 일의 자리 수끼리의 합이 12가 되는 수를 찾습니다.

25 + ☐ = 32

5 6 7 8

일의 자리 수끼리의 합이 12가 되는 두 수를 찾습니다.

69 + 3 = 72

3 4 5 6

36 + 14 = 50

13 14 15 16

43 + 29 = 72

26 27 28 29

19 + 24 = 43

22 23 24 25

27 + 37 = 64

35 36 37 38

55 + 16 = 71

16 17 18 19

37 + 45 = 82

44 45 46 47

일의 자리 수끼리의 합을 이용하여 수를 합리적으로 예상하여 찾을 수 있습니다.

빈칸에 들어갈 수를 찾아 모두 ◯표 하세요.

55 + ☐ < 63

5 6 7 8 9

55+8=63이므로 8보다 작은 수를 찾습니다. 55 + 8 = 63

38 + ☐ > 52

12 13 14 15 16

38+14=52이므로 14보다 큰 수를 찾습니다. 38 + 14 = 52

36 + ☐ < 60

22 23 24 25 26

36 + 24 = 60

47 + ☐ > 81

33 34 35 36 37

47 + 34 = 81

68 + ☐ < 86

15 16 17 18 19

68 + 18 = 86

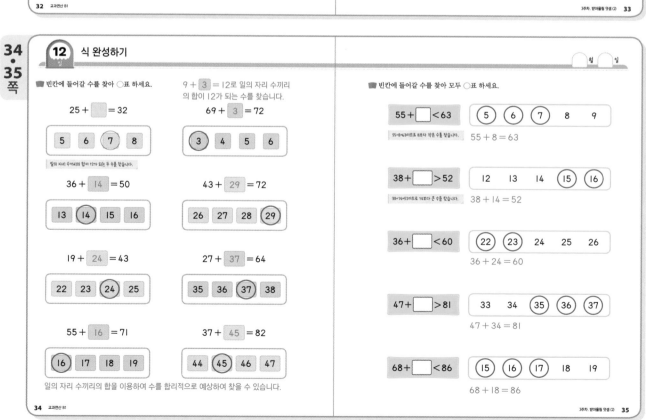

13 □가 있는 덧셈

■ 수 카드 중에서 1장 또는 2장을 골라 써넣어 식을 완성해 보세요.

$$6 \quad 7 \qquad \begin{array}{r} 6\ \boxed{8} \\ +\quad 5 \\ \hline 7\ 3 \end{array}$$
$$8 \quad 9$$

□+5=13이므로 □는 8입니다.

$$2 \quad 4 \qquad \begin{array}{r} \boxed{4}\ 8 \\ +\quad \boxed{2} \\ \hline 5\ 0 \end{array}$$
$$6 \quad 8$$

수를 넣은 다음 식이 맞는지 확인합니다.

$$5 \quad 6 \qquad \begin{array}{r} \boxed{5}\ 5 \\ +\ 1\ 9 \\ \hline 7\ 4 \end{array}$$
$$7 \quad 8$$

$$3 \quad 4 \qquad \begin{array}{r} 3\ 9 \\ +\ 2\ \boxed{6} \\ \hline 6\ 5 \end{array}$$
$$5 \quad 6$$

$$2 \quad 3 \qquad \begin{array}{r} \boxed{2}\ 3 \\ +\ 5\ \boxed{7} \\ \hline 8\ 0 \end{array}$$
$$6 \quad 7$$

$$2 \quad 4 \qquad \begin{array}{r} 6\ \boxed{4} \\ +\ \boxed{2}\ 7 \\ \hline 9\ 1 \end{array}$$
$$6 \quad 8$$

$$1 \quad 3 \qquad \begin{array}{r} 5\ \boxed{7} \\ +\ 6\ 8 \\ \hline 1\ 2\ 5 \end{array}$$
$$5 \quad 7$$

$$0 \quad 5 \qquad \begin{array}{r} 7\ \boxed{0} \\ +\ 6\ 4 \\ \hline 1\ 3\ 4 \end{array}$$
$$6 \quad 9$$

■ 빈칸에 알맞은 수를 써넣으세요.

$$\begin{array}{r} 3\ 8 \\ +\ \boxed{4} \\ \hline 4\ 2 \end{array} \qquad \begin{array}{r} \boxed{5}\ 1 \\ +\quad 9 \\ \hline 6\ \boxed{0} \end{array} \qquad \begin{array}{r} \boxed{4}\ 7 \\ +\quad \boxed{9} \\ \hline 5\ 6 \end{array}$$

$$\begin{array}{r} 2\ \boxed{7} \\ +\ 4\ 6 \\ \hline 7\ 3 \end{array} \qquad \begin{array}{r} \boxed{1}\ 5 \\ +\ 6\ 7 \\ \hline 8\ 2 \end{array} \qquad \begin{array}{r} 1\ 6 \\ +\ \boxed{2}\ 6 \\ \hline 4\ 2 \end{array}$$

$$\begin{array}{r} 5\ \boxed{5} \\ +\ \boxed{3}\ 5 \\ \hline 9\ 0 \end{array} \qquad \begin{array}{r} \boxed{1}\ 6 \\ +\ 7\ \boxed{6} \\ \hline 9\ 2 \end{array} \qquad \begin{array}{r} 7\ \boxed{5} \\ +\ 4\ 3 \\ \hline 1\ 1\ 8 \end{array}$$

$$\begin{array}{r} 5\ 6 \\ +\ \boxed{7}\ 7 \\ \hline 1\ 3\ \boxed{3} \end{array} \qquad \begin{array}{r} 6\ \boxed{5} \\ +\ \boxed{5}\ 9 \\ \hline 1\ 2\ 4 \end{array} \qquad \begin{array}{r} 4\ 8 \\ +\ 5\ \boxed{8} \\ \hline 1\ 0\ 6 \end{array}$$

---

14 여러 가지 덧셈 방법 (1)

■ 빈칸에 알맞은 수를 써넣어 여러 가지 방법으로 계산해 보세요.

28+17

28에 10을 먼저 더한 다음 7을 더합니다.

$$28 + 17 = 28 + 10 + 7$$
$$= 38 + \boxed{7}$$
$$= \boxed{45}$$

십의 자리 수끼리, 일의 자리 수끼리 더합니다.

$$28 + 17 = 20 + 10 + 8 + 7$$
$$= 30 + \boxed{15}$$
$$= \boxed{45}$$

17을 2와 15로 가른 후 28에 2를 더하고 15를 더합니다.

$$28 + 17 = 28 + 2 + 15$$
$$= \boxed{30} + 15$$
$$= \boxed{45}$$

28에 2를 더해 몇십을 만듭니다.

17을 12와 5로 가른 후 28에 12를 더하고 5를 더합니다.

$$28 + 17 = 28 + 12 + 5$$
$$= 40 + \boxed{5}$$
$$= \boxed{45}$$

28에 12를 더해 몇십을 만듭니다.

■ 빈칸에 알맞은 수를 써넣어 여러 가지 방법으로 계산해 보세요.

49+25

49에 20을 먼저 더한 다음 5를 더합니다.

$$49 + 25 = 49 + 20 + 5$$
$$= \boxed{69} + 5$$
$$= \boxed{74}$$

십의 자리 수끼리, 일의 자리 수끼리 더합니다.

$$49 + 25 = 40 + 20 + 9 + 5$$
$$= 60 + \boxed{14}$$
$$= \boxed{74}$$

25를 1과 24로 가른 후 49에 1을 더하고 24를 더합니다.

$$49 + 25 = 49 + 1 + 24$$
$$= 50 + \boxed{24}$$
$$= \boxed{74}$$

25를 21과 4로 가른 후 49에 21을 더하고 4를 더합니다.

$$49 + 25 = 49 + 21 + 4$$
$$= \boxed{70} + 4$$
$$= \boxed{74}$$

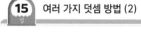

40 · 41 쪽

15 여러 가지 덧셈 방법 (2)

🔲 빈칸에 알맞은 수를 써넣으세요.

$16 + 15 = 16 + 10 + \boxed{5}$
$\quad\quad = 26 + \boxed{5}$
$\quad\quad = \boxed{31}$

16에 10을 더하고 5를 더합니다.

$37 + 26 = 37 + 20 + \boxed{6}$
$\quad\quad = 57 + \boxed{6}$
$\quad\quad = \boxed{63}$

$27 + 29 = 27 + \boxed{20} + 9$
$\quad\quad = \boxed{47} + 9$
$\quad\quad = \boxed{56}$

$48 + 14 = 40 + 10 + 8 + 4$
$\quad\quad = 50 + \boxed{12}$
$\quad\quad = \boxed{62}$

십의 자리 수끼리, 일의 자리 수끼리 더합니다.

$35 + 28$ 또는 $\overset{8}{} \quad \overset{5}{}$
$= 30 + 20 + \boxed{5} + \boxed{8}$
$= 50 + \boxed{13}$
$= \boxed{63}$

$19 + 24$
$= 10 + \boxed{20} + 9 + \boxed{4}$
$= 30 + \boxed{13}$
$= \boxed{43}$

🔲 빈칸에 알맞은 수를 써넣으세요.

$28 + 44 = 28 + 2 + \boxed{42}$
$\quad\quad\overset{2\ \ 42}{}$
$\quad\quad = 30 + \boxed{42}$
$\quad\quad = \boxed{72}$

44를 2와 42로 가릅니다.

$56 + 19 = 56 + 4 + \boxed{15}$
$\quad\quad = 60 + \boxed{15}$
$\quad\quad = \boxed{75}$

$35 + 27 = 35 + \boxed{5} + 22$
$\quad\quad = \boxed{40} + 22$
$\quad\quad = \boxed{62}$

$26 + 18 = 26 + 14 + \boxed{4}$
$\quad\quad\overset{14\ \ 4}{}$
$\quad\quad = 40 + \boxed{4}$
$\quad\quad = \boxed{44}$

18를 14과 4로 가릅니다.

$39 + 26 = 39 + 21 + \boxed{5}$
$\quad\quad = 60 + \boxed{5}$
$\quad\quad = \boxed{65}$

$28 + 25 = 28 + \boxed{22} + 3$
$\quad\quad = \boxed{50} + 3$
$\quad\quad = \boxed{53}$

42 쪽

🔲 왼쪽과 같은 방법으로 주어진 덧셈을 계산해 보세요.

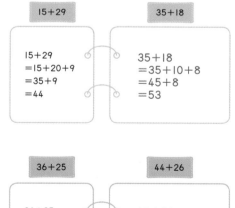

$15 + 29$

$35 + 18$

$15 + 29$
$= 15 + 20 + 9$
$= 35 + 9$
$= 44$

$35 + 18$
$= 35 + 10 + 8$
$= 45 + 8$
$= 53$

$36 + 25$

$44 + 26$

$36 + 25$
$= 36 + 4 + 21$
$= 40 + 21$
$= 61$

$44 + 26$
$= 44 + 6 + 20$
$= 50 + 20$
$= 70$

16 두 수 찾기

■ 두 수의 차가 가운데 ○ 안의 수가 되도록 두 수를 찾아 각각 ○표 하세요.

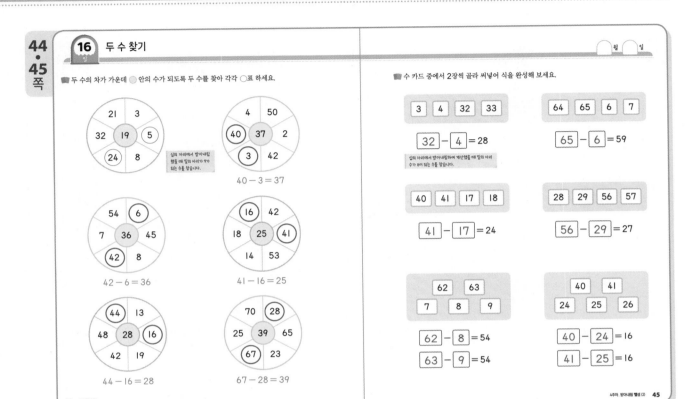

40 − 3 = 37

십의 자리에서 받아내림 했을 때 일의 자리가 0이 되는 수를 찾습니다.

42 − 6 = 36

41 − 16 = 25

44 − 16 = 28

67 − 28 = 39

■ 수 카드 중에서 2장씩 골라 씨넣어 식을 완성해 보세요.

3 4 32 33

32 − 4 = 28

십의 자리에서 받아내림하여 계산했을 때 일의 자리 수가 8이 되는 수를 찾습니다.

64 65 6 7

65 − 6 = 59

40 41 17 18

41 − 17 = 24

28 29 56 57

56 − 29 = 27

62 63
7 8 9

62 − 8 = 54
63 − 9 = 54

40 41
24 25 26

40 − 24 = 16
41 − 25 = 16

---

17 식 완성하기

■ 빈칸에 들어갈 수를 찾아 ○표 하세요.

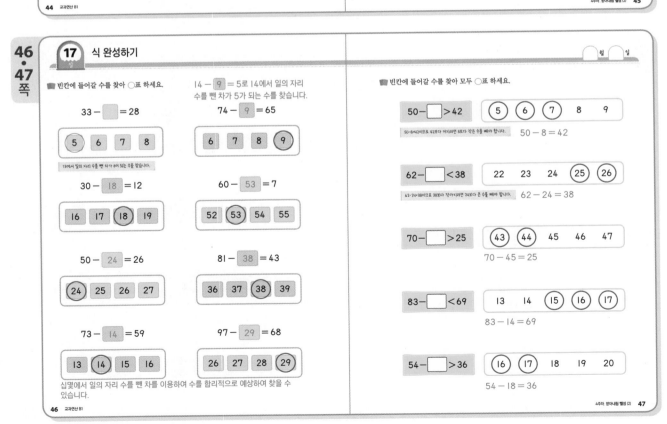

33 − [ ] = 28

⑤ 6 7 8

13에서 일의 자리 수를 뺀 차가 8이 되는 수를 찾습니다.

30 − 18 = 12

16 17 ⑱ 19

50 − 24 = 26

㉔ 25 26 27

73 − 14 = 59

13 ⑭ 15 16

14 − 9 = 5로 14에서 일의 자리 수를 뺀 차가 5가 되는 수를 찾습니다.

74 − 9 = 65

6 7 8 ⑨

60 − 53 = 7

52 ㊾ 54 55

81 − 38 = 43

36 37 ㊳ 39

97 − 29 = 68

26 27 28 ㉙

십몇에서 일의 자리 수를 뺀 차를 이용하여 수를 합리적으로 예상하여 찾을 수 있습니다.

■ 빈칸에 들어갈 수를 찾아 모두 ○표 하세요.

50 − [ ] > 42

⑤ ⑥ ⑦ 8 9

50−8=42이므로 42보다 커지려면 8보다 작은 수를 빼야 합니다. 50 − 8 = 42

62 − [ ] < 38

22 23 24 ㉕ ㉖

62−24=38이므로 38보다 작아지려면 24보다 큰 수를 빼야 합니다. 62 − 24 = 38

70 − [ ] > 25

㊸ ㊹ 45 46 47

70 − 45 = 25

83 − [ ] < 69

13 14 ⑮ ⑯ ⑰

83 − 14 = 69

54 − [ ] > 36

⑯ ⑰ 18 19 20

54 − 18 = 36

정답

48·49쪽

18 □가 있는 뺄셈

■ 수 카드 중에서 1장 또는 2장을 골라 써넣어 식을 완성해 보세요.

| 1 2 | 3 4 |

$$\begin{array}{r} 4\!\!\!/\, \overset{3}{}\, \overset{10}{\boxed{2}} \\ -\quad 3 \\ \hline 3\ 9 \end{array}$$

〈실명〉-3이 → 12-3이

| 5 6 | 7 8 |

$$\begin{array}{r} 8\ 5 \\ -\quad \boxed{7} \\ \hline 7\ 8 \end{array}$$

수를 넣은 다음 식이 맞는지 확인합니다.

| 6 7 | 8 9 |

$$\begin{array}{r} \boxed{8}\ 0 \\ -\quad 2\ 7 \\ \hline 5\ 3 \end{array}$$

| 6 7 | 8 9 |

$$\begin{array}{r} 5\ \boxed{8} \\ -\ 1\ 9 \\ \hline 3\ 9 \end{array}$$

| 5 6 | 7 8 |

$$\begin{array}{r} \boxed{5}\ 5 \\ -\ 3\ \boxed{6} \\ \hline 1\ 9 \end{array}$$

| 1 2 | 3 4 |

$$\begin{array}{r} 8\ \boxed{1} \\ -\ \boxed{4}\ 8 \\ \hline 3\ 3 \end{array}$$

| 1 3 | 5 7 |

$$\begin{array}{r} 6\ \boxed{1} \\ -\ \boxed{3}\ 4 \\ \hline 2\ 7 \end{array}$$

| 0 2 | 4 8 |

$$\begin{array}{r} 9\ 0 \\ -\ \boxed{4}\ 4 \\ \hline 4\ 6 \end{array}$$

■ 빈칸에 알맞은 수를 써넣으세요.

$$\begin{array}{r} 2\ 2 \\ -\ \boxed{5} \\ \hline 1\ 7 \end{array}$$

$$\begin{array}{r} 5\ 3 \\ -\quad 9 \\ \hline 4\ \boxed{4} \end{array}$$

$$\begin{array}{r} \boxed{7}\ 7 \\ -\quad 8 \\ \hline 6\ 9 \end{array}$$

$$\begin{array}{r} 6\ \boxed{1} \\ -\ 1\ 3 \\ \hline 4\ 8 \end{array}$$

$$\begin{array}{r} 9\ 0 \\ -\ 2\ 3 \\ \hline 6\ 7 \end{array}$$

$$\begin{array}{r} 7\ 4 \\ -\ \boxed{4}\ 8 \\ \hline 2\ 6 \end{array}$$

$$\begin{array}{r} 8\ \boxed{0} \\ -\ \boxed{5}\ 9 \\ \hline 2\ 1 \end{array}$$

$$\begin{array}{r} 7\ 5 \\ -\ 3\ 9 \\ \hline 3\ 6 \end{array}$$

$$\begin{array}{r} 9\ \boxed{4} \\ -\ 4\ 7 \\ \hline \boxed{4}\ 7 \end{array}$$

$$\begin{array}{r} 8\ 0 \\ -\ 3\ 2 \\ \hline 4\ \boxed{8} \end{array}$$

$$\begin{array}{r} 6\ \boxed{7} \\ -\ 3\ 9 \\ \hline 2\ 8 \end{array}$$

$$\begin{array}{r} 8\ 3 \\ -\ 6\ \boxed{7} \\ \hline 1\ 6 \end{array}$$

48 교과연산 B1　　4주차. 받아내림 뺄셈 (2) 49

50·51쪽

19 여러 가지 뺄셈 방법 (1)

■ 빈칸에 알맞은 수를 써넣어 여러 가지 방법으로 계산해 보세요.

50−16

50에서 10을 먼저 빼고 6을 더 뺍니다.

$$50-16 = 50-10-6$$
$$= 40-\boxed{6}$$
$$= \boxed{34}$$

50에서 6을 먼저 빼고 10을 더 뺍니다.

$$50-16 = 50-6-10$$
$$= 44-\boxed{10}$$
$$= \boxed{34}$$

50을 20과 30으로 가른 후 20에서 16을 빼고 30을 더합니다.

$$50-16 = 20-16+30$$
$$= \boxed{4}+30$$
$$= \boxed{34}$$

■ 빈칸에 알맞은 수를 써넣어 여러 가지 방법으로 계산해 보세요.

43−28

43에서 20을 먼저 빼고 8을 더 뺍니다.

$$43-28 = 43-20-8$$
$$= 23-\boxed{8}$$
$$= \boxed{15}$$

43에서 8을 먼저 빼고 20을 더 뺍니다.

$$43-28 = 43-8-20$$
$$= \boxed{35}-20$$
$$= \boxed{15}$$

28을 23과 5로 가른 후 43에서 23을 빼고 5를 더 뺍니다.

$$43-28 = 43-23-5$$
$$= 20-\boxed{5}$$
$$= \boxed{15}$$

43을 40과 3으로 가른 후 40에서 28을 빼고 3을 더합니다.

$$43-28 = 40-28+3$$
$$= \boxed{12}+3$$
$$= \boxed{15}$$

50 교과연산 B1　　4주차. 받아내림 뺄셈 (2) 51

---

12 교과연산 B1

20 여러 가지 뺄셈 방법 (2)

월 일

📖 빈칸에 알맞은 수를 써넣으세요.

$40 - 13 = 40 - 10 - \boxed{3}$
$\quad\quad\quad = 30 - \boxed{3}$
$\quad\quad\quad = \boxed{27}$

40에서 10을 빼고 3을 더 뺍니다.

$36 - 18 = 36 - 10 - \boxed{8}$
$\quad\quad\quad = 26 - \boxed{8}$
$\quad\quad\quad = \boxed{18}$

$51 - 25 = 51 - \boxed{20} - 5$
$\quad\quad\quad = \boxed{31} - 5$
$\quad\quad\quad = \boxed{26}$

$60 - 37 = 60 - 7 - \boxed{30}$
$\quad\quad\quad = 53 - \boxed{30}$
$\quad\quad\quad = \boxed{23}$

60에서 7을 빼고 30을 더 뺍니다.

$45 - 19 = 45 - 9 - \boxed{10}$
$\quad\quad\quad = 36 - \boxed{10}$
$\quad\quad\quad = \boxed{26}$

$72 - 28 = 72 - \boxed{8} - 20$
$\quad\quad\quad = \boxed{64} - 20$
$\quad\quad\quad = \boxed{44}$

📖 빈칸에 알맞은 수를 써넣으세요.

$53 - 17 = 53 - 13 - \boxed{4}$
$\quad\quad\quad\,\,_{13}\,\,^{\wedge}\,\,_{4}$
$\quad\quad\quad = 40 - \boxed{4}$
$\quad\quad\quad = \boxed{36}$

17을 13과 4로 가릅니다.

$78 - 39 = 78 - 38 - \boxed{1}$
$\quad\quad\quad = 40 - \boxed{1}$
$\quad\quad\quad = \boxed{39}$

$42 - 14 = 42 - \boxed{12} - 2$
$\quad\quad\quad = \boxed{30} - 2$
$\quad\quad\quad = \boxed{28}$

$73 - 36 = 70 - 36 + \boxed{3}$
$\quad\quad\quad\,_{70}\,^{\wedge}\,_{3}$
$\quad\quad\quad = 34 + \boxed{3}$
$\quad\quad\quad = \boxed{37}$

73을 70과 3으로 가릅니다.

$55 - 26 = 50 - 26 + \boxed{5}$
$\quad\quad\quad = 24 + \boxed{5}$
$\quad\quad\quad = \boxed{29}$

$81 - 35 = 80 - \boxed{35} + 1$
$\quad\quad\quad = \boxed{45} + 1$
$\quad\quad\quad = \boxed{46}$

📖 두 가지 방법으로 계산해 보세요.

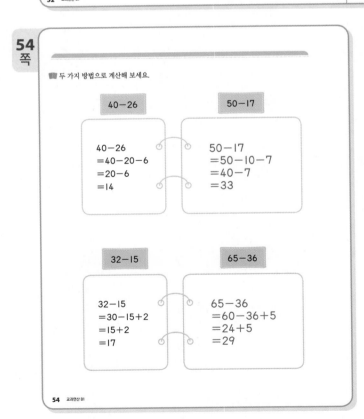

$40 - 26$

$40 - 26$
$= 40 - 20 - 6$
$= 20 - 6$
$= 14$

$50 - 17$

$50 - 17$
$= 50 - 10 - 7$
$= 40 - 7$
$= 33$

$32 - 15$

$32 - 15$
$= 30 - 15 + 2$
$= 15 + 2$
$= 17$

$65 - 36$

$65 - 36$
$= 60 - 36 + 5$
$= 24 + 5$
$= 29$

56·57쪽

21 큰 합, 작은 합

📋 수 카드 2장을 골라 두 자리 수를 만들어 주어진 수와 계산합니다. 계산 결과가 가장 커지는 식을 쓰고 계산해 보세요.

| 2 | 4 | 6 |

$52 + \boxed{64} = 116$

합이 커지려면 큰 수를 더해야 합니다.

| 1 | 5 | 9 |

$39 + \boxed{95} = 134$

| 3 | 4 | 5 |

$\boxed{54} + 47 = 101$

| 5 | 6 | 7 |

$\boxed{76} + 58 = 134$

| 2 | 3 | 4 |

$27 + \boxed{43} = 70$

| 3 | 6 | 8 |

$45 + \boxed{86} = 131$

| 2 | 4 | 7 |

$\boxed{74} + 68 = 142$

| 1 | 3 | 5 |

$\boxed{53} + 79 = 132$

📋 수 카드 2장을 골라 두 자리 수를 만들어 주어진 수와 계산합니다. 계산 결과가 가장 작아지는 식을 쓰고 계산해 보세요.

| 3 | 4 | 5 |

$39 + \boxed{34} = 73$

합이 작아지려면 작은 수를 더해야 합니다.

| 2 | 5 | 9 |

$35 + \boxed{25} = 60$

| 5 | 7 | 8 |

$\boxed{57} + 48 = 105$

| 6 | 7 | 8 |

$\boxed{67} + 27 = 94$

| 1 | 4 | 7 |

$67 + \boxed{14} = 81$

| 1 | 3 | 6 |

$59 + \boxed{13} = 72$

| 3 | 6 | 7 |

$\boxed{36} + 55 = 91$

| 4 | 5 | 7 |

$\boxed{45} + 56 = 101$

58·59쪽

22 큰 차, 작은 차

📋 수 카드 2장을 골라 두 자리 수를 만들어 주어진 수와 계산합니다. 계산 결과가 가장 커지는 식을 쓰고 계산해 보세요.

| 3 | 4 | 5 |

$63 - \boxed{34} = 29$

차가 커지려면 적게 빼야 합니다.

| 5 | 7 | 8 |

$85 - \boxed{57} = 28$

| 2 | 3 | 4 |

$\boxed{43} - 19 = 24$

차가 커지려면 큰 수에서 빼야 합니다.

| 5 | 7 | 9 |

$\boxed{97} - 48 = 49$

| 4 | 6 | 8 |

$70 - \boxed{46} = 24$

| 1 | 4 | 5 |

$51 - \boxed{14} = 37$

| 3 | 6 | 9 |

$\boxed{96} - 27 = 69$

| 2 | 4 | 6 |

$\boxed{64} - 38 = 26$

📋 수 카드 2장을 골라 두 자리 수를 만들어 주어진 수와 계산합니다. 계산 결과가 가장 작아지는 식을 쓰고 계산해 보세요.

| 1 | 2 | 3 |

$41 - \boxed{32} = 9$

차가 작아지려면 많이 빼야 합니다.

| 4 | 5 | 6 |

$70 - \boxed{65} = 5$

| 2 | 3 | 4 |

$\boxed{23} - 16 = 7$

차가 작아지려면 15보다 크면서 작은 수에서 빼야 합니다.

| 4 | 6 | 8 |

$\boxed{46} - 29 = 17$

| 3 | 4 | 7 |

$82 - \boxed{74} = 8$

| 1 | 4 | 6 |

$93 - \boxed{64} = 29$

| 6 | 7 | 9 |

$\boxed{67} - 59 = 8$

| 4 | 5 | 7 |

$\boxed{45} - 36 = 9$

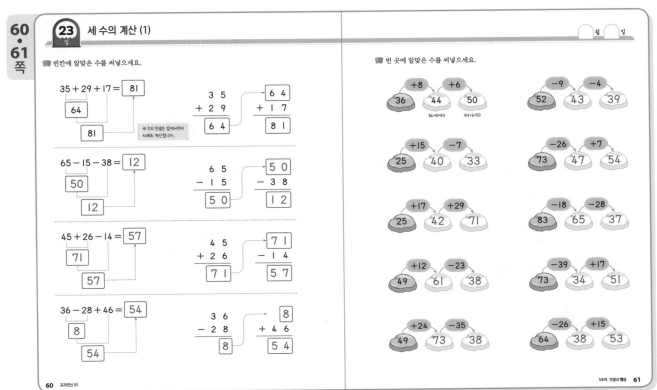

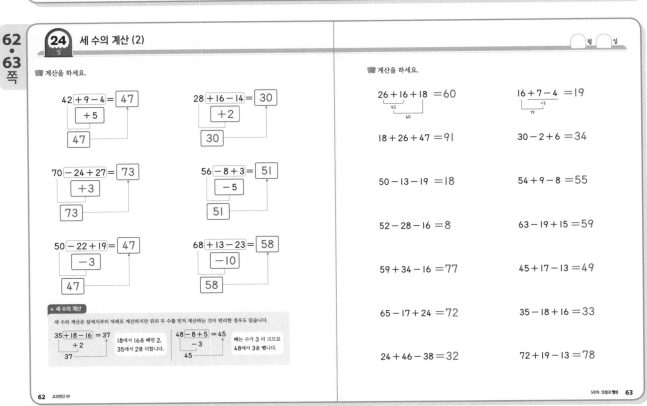

64·65쪽

25 이야기하기

📖 물음에 답하세요.

주차장에 자동차가 25대 있었습니다. 17대가 더 들어오고 19대가 나갔습니다. 주차장에 남아 있는 자동차는 몇 대일까요?

식 $25 + 17 - 19 = 23$ 답 23 대

화단에 꽃이 36송이 있었습니다. 아침에 18송이를 심고 저녁에 16송이를 더 심었습니다. 화단에 있는 꽃은 몇 송이일까요?

식 $36 + 18 + 16 = 70$ 답 70 송이

버스에 30명이 타고 있었습니다. 학교 앞 정류장에서 8명이 타고 12명이 내렸습니다. 버스에는 몇 명이 타고 있을까요?

식 $30 + 8 - 12 = 26$ 답 26 명

준기는 사탕 41개를 가지고 있었는데 친구에게 13개를 주고 24개를 더 샀습니다. 준기가 가지고 있는 사탕은 몇 개일까요?

식 $41 - 13 + 24 = 52$ 답 52 개

📖 물음에 답하세요.

연아는 구슬 54개를 가지고 있었습니다. 이 중에서 27개를 잃어버리고 16개를 더 샀습니다. 연아가 가지고 있는 구슬은 몇 개일까요?

식 $54 - 27 + 16 = 43$ 답 43 개

색종이가 73장이 있었습니다. 종이배를 접는 데 18장 사용하고 종이학을 접는 데 25장 사용했습니다. 남아 있는 색종이는 몇 장일까요?

식 $73 - 18 - 25 = 30$ 답 30 장

지안이는 사과를 58개 땄고 윤서는 33개 땄습니다. 두 사람이 딴 사과 중에서 15개를 먹었습니다. 남아 있는 사과는 몇 개일까요?

식 $58 + 33 - 15 = 76$ 답 76 개

1반에는 학생이 26명, 2반에는 학생이 28명 있습니다. 1반과 2반 학생 중에서 남학생이 25명이라면 여학생은 몇 명일까요?

식 $26 + 28 - 25 = 29$ 답 29 명

66쪽

📖 수 카드 중에서 한 장씩 골라 써넣어 식을 완성해 보세요.

| 9 | 14 | 18 |

$25 + 17 - \boxed{18} = 24$

$25 + 8 - \boxed{9} = 24$

$25 - 15 + \boxed{14} = 24$

 25에서 24가 되려면 1을 빼야 하므로 17보다 1 더 큰 18을 뺍니다.

| 20 | 21 | 23 |

$38 + 22 - \boxed{20} = 40$

$38 + 25 - \boxed{23} = 40$

$38 - 19 + \boxed{21} = 40$

| 12 | 13 | 22 |

$36 + 18 - \boxed{13} = 41$

$36 - 17 + \boxed{22} = 41$

$36 - 7 + \boxed{12} = 41$

| 24 | 26 | 29 |

$62 - 28 + \boxed{24} = 58$

$62 - 33 + \boxed{29} = 58$

$62 + 22 - \boxed{26} = 58$

하루 한 장 75일
집중 완성

교과
연산

"연산을 이해하려면 수를 먼저 이해해야 합니다."

"계산은 문제를 해결하는 하나의 과정입니다."

"교과연산은 상황을 판단하는 능력을 길러주는 연산입니다."